Cómo proporcionar **educación sexual** a niños, adolescentes y jóvenes

Ricardo Sada Fernández

Primera edición mexicana: 2009.

Augusto Rodín No. 276, Col. Noche Buena,
C.P. 03720, México D.F.
Tels.: 5615. 9359, 5615. 6662, 5615. 5890,
5615. 3469, Lada 01 800. 633. 4681 Fax: 5615. 3467

Oficinas en Guadalajara:
Arcos 135, Col. Arcos Vallarta
C.P.44130 Guadalajara, Jal.
Tels. (33)3615 5766, (33)5615 4275 Fax (33)3615 7451

www.minostercermilenio.com

Diseño gráfico: Magdalena Álvarez Alpízar.

ISBN 978-607-432-018-3

Impreso en México
Printed in Mexico

ÍNDICE

III. LA EDUCACIÓN SEXUAL DIRIGIDA A LOS ADOLESCENTES

PRÓLOGO

En la tarea pastoral he advertido una creciente incapacidad en adolescentes y jóvenes para aceptar y vivir la experiencia cristiana, particularmente la vida de relación personal con Dios. Las posturas que adoptan abarcan una amplia gama de posibilidades: desde la apatía hasta la falta de fe, desde la incapacidad de compromiso hasta la justificación de la homosexualidad, desde la postura vital reducida al placer hasta la diversa gama de perversiones que tan abundantemente ofrece la sociedad contemporánea.

Pienso que la dificultad del joven o del adolescente -de la joven o de la adolescente- para plantearse una vida ordenada a su destino trascendente no estriba tanto en especiales dificultades de orden intelectual, ni siquiera en la dificultad que plantea la moral cristiana. El problema radica en la antropología, es decir, en la adecuada comprensión de lo que es el hombre. Si la percepción de uno mismo no supera la de alguien sujeto al arbitrio de compulsiones sensuales, la comprensión del proyecto vital –de la vida de relación y amor a Dios– se pierde.

"Bienaventurados los limpios de corazón, porque ellos verán a Dios"[1]. No se puede ver a Dios sin tener el corazón

[1] *Mateo* 5,8.

limpio: la impureza bloquea la capacidad de amar. "El hombre animal es incapaz de percibir las cosas que son del espíritu de Dios"[2]. El paladar se estraga, incapacitándose para lo divino. "La sexualidad no es algo puramente biológico, sino que afecta al núcleo íntimo de la persona en cuanto tal"[3]. Es decir, a la posibilidad de desplegar el amor verdadero.

El presente escrito se dirige fundamentalmente a padres de familia, principales educadores de sus hijos en todos los aspectos, pero muy particularmente en éste, que mira al corazón, centro de la vida afectiva. Ante la avalancha de permisividad sexual –vivimos en un entorno que podría calificarse de *pansexual*– los padres de familia se han encontrado sin armas. La avalancha los ha tomado por sorpresa. En su tarea, precisan apoyo y defensa. Los pastores y los educadores -así como otros cuerpos sociales- tienen el deber de salir en su ayuda y sostener la institución familiar. Por eso el presente escrito puede servir también a quienes, subsidiariamente, están llamados a colaborar con los padres de familia en esta delicada tarea.

[2] *I Cor* 2,14.
[3] *Catecismo de la Iglesia Católica,* n. 2361.

I. ÁMBITO Y CARACTERÍSTICAS DE LA EDUCACIÓN SEXUAL

¿QUÉ ES LA «EDUCACIÓN SEXUAL»?

Por «educación sexual» se entiende:

"La acción intencional que capacita al individuo para aceptar, comprender y disponer rectamente de su sexualidad, -considerada en la realidad completiva de ser varón o ser mujer- de modo que logre integrarla en la totalidad de la persona, en base a una antropología abierta a la trascendencia".

De la definición podemos destacar los siguientes elementos:

1) Una verdadera educación sexual comprende la sexualidad en su acepción amplia, no reducida a la realidad puramente biológica, ni a la meramente funcional, sino en cuanto determina a la persona humana en su ser varón o ser mujer.

2) La educación sexual busca, por principio de cuentas, la *aceptación* de la propia sexualidad -lo que podría llamarse «identidad sexual»-, de modo que se evite desde el principio cualquier confusión.

3) La educación sexual intenta que esa identidad sexual se *comprenda* con verdad y profundidad, de modo que la per-

sona pueda, en el momento adecuado, disponer rectamente de ella. Presenta la sexualidad como un bien –no en sí mismo, sino en orden al amor y a la vida–. La sexualidad está al servicio del amor y de la vida.

4) Por lo anterior, la educación sexual busca integrar la sexualidad en la totalidad de la persona –en su ser corpóreo y espiritual–, y no como un elemento independiente de ella. Entiende que toda manifestación de la sexualidad es manifestación de la persona, y orienta su atención a lograr la virtud clave que define dicha integración: la virtud de la castidad.

5) La educación sexual se establecerá sobre el verdadero concepto del ser humano, encuadrándolo no tan sólo en su animalidad y ni siquiera en su mera racionalidad, sino en cuanto que es hijo de Dios, participante de su vida divina y destinado a la unión eterna y permanente con Él.

La educación sexual forma parte de la educación integral que toda persona tiene derecho a recibir. De ahí que, como enseña la Iglesia, a los niños y a los adolescentes

"hay que iniciarlos, conforme avanza su edad, en una positiva y prudente educación sexual"[1], y el Papa Juan Pablo II, por su parte, recomienda ofrecer a los hijos

"una educación sexual clara y delicada" [2].

[1] Concilio Vaticano II, Declaración *Gravissimum educationis,* 1.
[2] Ex. Ap. *Familiaris consortio,* n. 37.

¿QUÉ POSTURAS EXTREMAS HAN DE EVITARSE EN LA EDUCACIÓN SEXUAL?

Ya desde la primera infancia es preciso impartir una educación sexual *positiva y prudente, clara y delicada*. Esos cuatro adjetivos excluyen toda forma de contenido inaceptable, que podría situarse en medio de dos extremos, igualmente erróneos y perjudiciales:

1) El que abre una profunda sima entre el componente espiritual y el componente corporal del hombre, pretendiendo dejar fuera de la educación el ámbito de la sexualidad humana, considerándola esencialmente mala. Así ha ocurrido con las tendencias, antiguas o modernas de *angelismo* que adopta, a través de la historia, diversas modalidades: *montanismo, jansenismo, puritanismo,* etc.

   En el fondo de esas posturas se encuentra una base *dualista,* que consiste en considerar la materia como procedente del principio malo y el espíritu como procedente del principio bueno.

   La herejía *montanista* (siglo II), por ejemplo, condena al matrimonio por considerar que encadena a las personas a este mundo y pide que se renuncie a él. Desde el principio la Iglesia condenó esta postura, afirmando la grandeza de la sexualidad y del matrimonio, comprendiendo al hombre como una unidad inseparable de materia y espíritu, y resaltando la maravilla del proyecto de Dios. Un antiguo escritor eclesiástico lo expresaba así:

"¿Cómo lograré exponer la felicidad de ese matrimonio que la Iglesia favorece, que la ofrenda eucarística refuerza, que la bendición sella, que los ángeles anuncian y que el Padre ratifica?... Ambos son hermanos y los dos sirven juntos: no hay división ni en la carne ni en el espíritu ... En ellos Cristo se alegra y los envía en su paz; donde están los dos, allí se encuentra también Él, y donde está Él no puede haber ningún mal" [3].

El *jansenismo*, por su parte, afirma que la voluntad, fuertemente debilitada por el pecado original, ya no actúa sino movida por el placer o la delectación. Existen dos delectaciones que pueden condicionarla: la delectación terrestre o concupiscencia que conduce al amor de las criaturas, o sea, al pecado y al mal, y la delectación celeste o gracia eficaz que infunde el amor de Dios y conduce al bien. Todo placer sexual, por tanto, por proceder de la delectación terrestre, será malo, ya que conduce al pecado.

La doctrina *puritana* –surgida en Inglaterra en la segunda mitad del siglo XVI– también afirma la naturaleza pecaminosa de toda la especie humana. Subraya la necesidad de la conversión para redimirse del pecado y exige una rigurosa vida moral, estimulada por la predicación que amenaza a los cristianos rebeldes con los castigos de Dios. Pretende lograr una suerte de asepsia ante cualquier riesgo de contaminación.

[3] TERTULIANO, *Ad uxorem* II, VIII, 6-8: CCL 1, 393-393.

Las anteriores tendencias dejan en penumbra que la realidad creada procede *en su totalidad* de un Creador bueno, santo y providente. Por tanto, la sexualidad rectamente comprendida no sólo no es mala, sino que –por venir de Dios– a Dios conduce.

Juan Pablo II rechaza el reproche que en ocasiones se hace a la Iglesia católica de convertir el sexo en «tabú». Lejos de eso, la Iglesia siente gran estima por la sexualidad, que pertenece al designio originario del Creador; pero pide a todos que la respeten en su naturaleza profunda, con respeto a la verdad de la persona humana, y por eso declara inaceptables el llamado «amor libre», el ejercicio de la homosexualidad y la anticoncepción. Y proclama como necesaria la virtud de la castidad, "que no significa el absoluto rechazo ni menosprecio a la sexualidad humana: significa más bien energía espiritual que sabe defender el amor de los peligros del egoísmo y de la agresividad, y sabe promoverlo hacia su realización plena" [4].

Un ejemplo de esa actitud –el encubrimiento de la realidad sexual como innombrable– sería el siguiente:

"Acaba de ocurrir. En una familia ha nacido una niña. Los hermanos van a verla a la clínica. Un niño de nueve años, al ver a la recién nacida, pregunta a su padre:
–Papá, y ¿cómo sabes que es una niña?

[4] Exhortación Apostólica *Familiaris consortio*, n. 33.

–Porque se sabe.
Y no hubo otra explicación, ni entonces ni después"[5].

Una actitud sistemática y deliberada que se propusiera ignorar todo lo concerniente al sexo significaría una equivocación pedagógica tan mayúscula, tan esencial e inexplicable, como negar a un futuro piloto cualquier conocimiento relativo al avión. Traería como reacción una malsana curiosidad que dejaría rastros perniciosos, o que llevaría a ceder a ciertas experiencias concretas.

2) En el extremo opuesto, el *naturalismo* o *biologismo* edifica sus bases sobre una antropología de carácter materialista, no admitiendo la realidad espiritual del hombre o reduciéndola a una pura emanación de la vida corpórea.

   En el ámbito pedagógico, esta última corriente sobrevalora la sexualidad, y más específicamente, el impulso erótico. El *pansexualismo,* por ejemplo, al sostener que incluso la vida superior del hombre está fuertemente impregnada de sexualidad, *convierte toda la educación en educación sexual.*

   La sexualidad estará entonces presente *en todos los ámbitos* de la existencia: no sólo en los espectáculos o la prensa; sino también en la psicología, la sociología, la pedagogía, la antropología, la interpretación de la historia, la medicina y hasta las ciencias religiosas y la pastoral.

[5] ENGRACIA A. JORDÁN, *Cómo proporcionar la educación sexual,* MINOS, México 2004, p. 5.

Esa omnipresencia de la sexualidad aparece, por poner algunos ejemplos significativos, en la proliferación de «sexólogos» (profesión inexistente hace unos lustros), así como en la frecuencia de esta temática en programas de opinión radiofónicos o televisivos, e incluso en la proliferación de un modo de hablar que emplea habitualmente el «doble sentido» («albures»).

Tal omnipresencia de la sexualidad lleva a que se pueda hablar de una auténtica *obsesión sexual* como modo inconsciente de centrar la atención sobre un objeto. La sexualidad entendida como excitación genital se convierte así en un fin en sí misma, que estará reforzada por la obsesión sexual que tenga cada persona. Si en algún momento no se hace presente ese reclamo sexual, se califica como extraña carencia.

Freud, al diagnosticar como neurótica la sociedad puritana de principios del siglo XX, promovió un aumento de la libertad sexual con la intención de mejorar la salud psíquica de tal sociedad. Marcuse, por su parte, intentó lograr una síntesis entre Freud y Marx, proponiendo una dialéctica entre el principio de la razón y el principio del placer: se trata de erotizar el ambiente todo lo posible, logrando un aumento de capacidad erótica que traería consigo un aumento de felicidad. Reich, al fin, el teórico de la revolución sexual, propugnó la separación entre sexualidad y procreación.

En la actualidad, la obsesión sexual ha alcanzado nuevas cotas con la aparición de una auténtica «adicción al sexo» que ya circula como una verdadera patología en los círculos psiquiátricos de Estados Unidos. Además de los daños psicológicos, habría que añadir los físicos: si a mediados del siglo XX se consideraban tan sólo 4 ó 5 enfermedades de transmisión sexual, en los albores del tercer milenio aparecen unas 40; algunas de proporciones epidémicas.

El *pansexualismo* tiene las siguientes connotaciones:

1) Reduce la sexualidad a genitalidad, es decir, el calificativo «sexual» se aplica sólo a lo que conlleve «excitación sexual».

2) Trata la sexualidad como objeto de consumo, y por tanto los criterios para su realización serían los mismos que rigen cualquier consumo: cuanto más, más rápido y más intenso sea el placer, mejor el sexo. Detrás de este modo de entender la sexualidad surgen una gran cantidad de intereses económicos que ejercen una fuerte presión extendida en múltiples ramificaciones. Este segundo aspecto es consecuencia del primero: sólo puede convertirse en objeto de consumo una sexualidad tan reducida como la genital.

3) Reclama la presencia de la genitalidad y su consumo como *normal* en cuanto hecho, y como *buena* en cuanto tendencia social. Son los calificativos «morales» que el pansexualismo otorga a la genitalidad.

El *pansexualismo* desconoce el sentido de misterio y trascendencia de la sexualidad, realidad abierta al amor y a la comunión de personas. La considera como algo puramente material y, por consiguiente, bajo el dominio del hombre como un elemento más de su naturaleza física. Olvida o desconoce que, por encima de la realidad sexuada, el hombre es persona, e incluso que, por encima de esa realidad, el hombre es hijo de Dios, un ser para el amor, invitado a la comunión interpersonal, abierto a la comunión íntima con su Creador.

-o-o-o-o-

CASO: ARACELI

Araceli, de 10 años, está sentada a la mesa, cenando con sus papás.

Juanito, su hermano menor, se encuentra en cama, resfriado y con fiebre alta. De pronto dice la mamá:

–Les encargo que recojan la mesa y laven los platos. Yo le llevaré la cena a Juanito.

A continuación, toma una charola, coloca la cena y se dirige a la habitación del niño. Araceli y su papá se levantan y comienzan a apilar los platos. Los llevan a la cocina y, al depositarlos en el fregadero, pregunta Araceli:

–Papá, ¿qué es masturbarse?

El hombre se desconcierta. Lo último que esperaba de la niña era una pregunta así.

–*No se vale* –piensa para sus adentros el papá– *nunca me he planteado cómo explicar eso a una niña…*

Para su descanso, Araceli continúa:

–Es que fíjate que cuando veníamos en el camión de la escuela, unas niñas de tercero de secundaria decían que masturbarse era muy rico.

De acuerdo a las distintas posturas ante la sexualidad, el papá podría responder de tres modos distintos:

PRIMERO:

"Mira, Araceli, eso es una cosa muy fea que no debe hacerse. Pero eres muy chica todavía para poder entenderlo, así que de estas cosas mejor no hables. Esas niñas que hablaban de eso son malas. No te juntes con ellas. Acércame los platos que trajiste para meterlos en el agua".

SEGUNDO:

"Masturbarse, Araceli, es frotarte tus partes íntimas para sentir bonito. Es algo bueno y sano. Ahorita todavía no te darán muchas ganas de hacerlo, pero cuando crezcas sentirás mayores deseos. Así como puedes disfrutar comiéndote un chocolate o nadando en una alberca, también puedes disfrutar con tu propio cuerpo".

TERCERO:

"Me parece muy bien, Araceli, que preguntes todo lo que no sabes. Yo también debo preguntar muchas cosas a otras personas, así que nunca te quedes con ninguna duda. A mí o a tu mamá puedes preguntarnos lo que sea, con toda confianza. Mira, masturbarse es tocarse las partes íntimas del cuerpo para sentir placer, algo así como usar tu cuerpo como juguete. A esta acción se le llama también «placer solitario», pero es algo que no debe hacerse. Te voy a explicar por qué.

Cuando yo o tu mamá te abrazamos, sientes bonito. No es porque te guste el apretón que te damos, sino porque sientes en ese abrazo nuestro cariño. También cuando tú nos abrazas a nosotros notamos que lo haces porque nos quieres. Es lo bonito del cuerpo que Dios nos ha dado: nos ayuda a decirle a alguien «te quiero». Eso quieres decir también cuando sonríes a alguien, o le mandas un beso con tu manita. Fíjate: eso es también lo bonito de la sexualidad: un hombre y una mujer, cuando se casan, pueden manifestarse su amor y también su alegría con su cuerpo. Por eso, Araceli, masturbarse no es lo que Dios ha querido cuando creó nuestro cuerpo, porque no expresa amor (te dije que se le llama también «vicio solitario»), sino lo contrario, egoísmo. Por tanto, es un modo incorrecto de utilizar el cuerpo. Y como la masturbación utiliza el cuerpo para algo distinto a lo que Dios dispuso, también es un pecado".

Tres respuestas, tres modos de afrontar la sexualidad. La última presenta una posición basada en una correcta antropología –es decir, tiene en cuenta la verdadera naturaleza y dignidad de la persona humana y de su sexualidad-, y es la que trataremos de desarrollar en este escrito. Las dos primeras posturas -el *angelismo,* que deja fuera del campo de la educación sexual estos temas, y el *naturalismo,* que no entiende la sexualidad en su ordenación al amor y a la vida-, son los extremos que han de rechazarse. Estas dos últimas posturas han demostrado ampliamente no sólo su insolvencia científica sino también su incompetencia pedagógica.

Se comprende, pues, que la familia, la escuela, la sociedad y la Iglesia deban prestar a la educación sexual toda la atención que merece, evitando al mismo tiempo que se convierta, obsesivamente, en el tema central.

¿POR QUÉ ES HOY MÁS URGENTE QUE NUNCA IMPARTIR EDUCACIÓN SEXUAL?

Hasta hace unas décadas ni la familia, ni la escuela, ni la sociedad en general ofrecían una explícita educación sexual. Porque la cultura, impregnada de respeto a los valores fundamentales, servía objetivamente para proteger y conservar los valores claves sobre la vida, el matrimonio, el amor y la familia. La desaparición de los modelos tradicionales en gran parte de la sociedad ha dejado a los hijos desprovistos de indicaciones unívocas y positivas. Los padres y educadores, por su parte, se experimentan sin la debida preparación para afrontar el enorme reto de educar rectamente en la sexualidad a niños, adolescentes y jóvenes.

En alguna de sus obras, Jorge Ibargüengoitia relata en qué consistió su educación sexual. Cuando era adolescente, su madre, ya viuda, le preguntó:

–Jorge, tú ya sabes eso del sexo, ¿no?

–Sí, mamá –contestó él.

Y en eso consistió –relata el escritor–, toda mi educación sexual.

Quizá el punto de inflexión del descontrol de la sexualidad haya que fijarlo en el año 1960. Fue entonces cuando apareció la primera «píldora anticonceptiva», "Envoid", combinado de estrógenos y progestágenos, cuyo efecto consistía en impedir la ovulación. Por eso se le llamó también «píldora anovulatoria»: al inhibir la ovulación, impedía la fecundación. La píldora –preparada en la actualidad con dosis más bajas de hormonas, para aminorar los efectos secundarios– sigue siendo el procedimiento reversible más utilizado por millones de usuarias en el mundo [6]. A partir de entonces se han desarrollado otros sistemas anticonceptivos mecánicos, químicos y quirúrgicos, que han dado origen a una millonaria industria.

"Uno de los hechos más relevantes que ha ocurrido en la historia reciente es la invención de productos anticonceptivos.

[6] Un lúcido ensayo sobre los distintos efectos de la píldora anticonceptiva puede verse al final de este libro, en el artículo *Antiamor*, de Joaquín García Huidobro.

Por primera vez en la historia de la humanidad y en la historia de la medicina se emplean productos de alto contenido hormonal no para curar una enfermedad sino para alterar algo muy saludable: la fecundidad. A millones de chicas jóvenes y sanas y a millones de mujeres se les ha sometido a un tratamiento hormonal que no carece de efectos nocivos para la salud" [7].

1960 marca un hito: a partir de entonces es posible separar con seguridad y comodidad el ejercicio de la sexualidad de la capacidad reproductiva: sexo con independencia de vida. De ahí a la separación entre sexo y amor, sexo y matrimonio, no había más que un paso. La sexualidad pierde su carácter de misterio profundo y se convierte en algo banal, algo así como un juego añadido a las demás diversiones. Aparece la «liberación sexual», que trae consigo el incremento de relaciones pasajeras, de promiscuidad, de uniones matrimoniales cerradas a la vida, de propagación de infidelidades conyugales. La familia entra en crisis con la plaga del divorcio; el aborto alcanza niveles jamás imaginados y la cultura moderna se convierte en enemiga de la vida. Si la sexualidad había perdido su referencia al amor y a la vida, si su referencia se encuentra ahora tan sólo dirigida al placer, sobreviene una auténtica «revolución sexual», así como a fines del siglo XVIII se produjo la «revolución industrial». Y así como fue preciso que transcurrieran dos siglos para superar el concepto del hom-

[7] ANA OTTE, *Cómo hablar a los jóvenes de sexualidad,* Ediciones Internacionales Universitarias, Madrid 2006, p. 77.

bre como un medio más en la producción industrial, quizá tengan que pasar también muchas décadas para dejar de considerar a la persona humana como mera fuente de placer sexual.

"En la cultura del mundo 'desarrollado' se ha destruido el vínculo entre sexualidad y matrimonio indisoluble. Separado del matrimonio, el sexo ha quedado fuera de órbita y se ha encontrado privado de puntos de referencia: se ha convertido en una especie de mina flotante, en un problema y, al mismo tiempo, en un poder omnipresente" [8].

La sexualidad ya no es esa maravillosa realidad creada por Dios para que, dentro del matrimonio e integrada en el amor permanente, dé como fruto lo más grande de la creación visible: una nueva persona humana, al tiempo que refuerza el amor de los esposos como reflejo del amor fiel y fecundo del Creador. Separada de su orden propio se convierte en algo terrible («*una mina flotante*», en frase del cardenal Ratzinger), que destruye vidas y felicidades. Cuando la sexualidad encuentra como único punto de referencia la *libido,* se convierte en algo potencialmente destructor, porque afecta a la vocación del hombre al amor interpersonal.

Ocurre algo parecido al fuego: el fuego es maravilloso, basta ver su centellear en mil tonos de amarillos, rojos y azu-

[8] JOSEPH RATZINGER, en VITTORIO MESSORI, *Informe sobre la fe,* BAC, Madrid 2005, p. 92.

les en la chimenea de la casa mientras escuchamos el crepitar de los troncos en una noche de invierno. Pero si a continuación vemos ese fuego en los pisos, paredes y techos de nuestra casa, ya no nos parecerá maravilloso. Se habrá convertido en algo terrible. Así sucede con el sexo. Integrado en el amor mutuo y definitivo de un hombre y una mujer que respetan el plan divino, es algo grandioso. Fuera de él, a pesar de su apariencia atractiva y fascinante, como el fuego en las paredes y muebles de la casa (a Nerón le resultaba fascinante el incendio de Roma), la destrucción que puede ocasionar es terrible. Tanto, que acabe con la felicidad del individuo y de los suyos.

Cuando la sexualidad se «trivializa», reducida al placer, pierde su misterio. Y se pierde también el misterio del hombre. Por eso, en el trasfondo de esa «trivialización» encontramos el oscurecimiento de la verdad sobre el hombre. Se olvida que es un *ser-para-el-amor*, ya que es imagen de Dios. Que su felicidad radica en la recepción del amor y en la capacidad de darlo, pero entendiendo el amor como aquella fuerza misteriosa que une no sólo los cuerpos para el goce inmediato, sino los espíritus integrados en los cuerpos, es decir, que une a las personas.

¿EN QUÉ RADICA EL «MISTERIO» DE LA SEXUALIDAD?

El «misterio» de la sexualidad no hace referencia –como podría parecer en un primer momento– a que sea preciso mantenerla en un ámbito innombrable, oscuro. La educación sexual ha de ser clara y veraz, de modo que el educando sepa referirse a cada cosa por su nombre. La sexualidad es *misterio* porque trasciende la capacidad de comprensión del hombre, ya que arranca del misterio mismo de Dios que es Amor y Vida. Además, es misterio porque se vincula estrechamente con el misterio del ser del hombre y su vocación. De ahí que la Iglesia la llame «misterio sagrado»[9].

El misterio de la sexualidad hace referencia al proyecto de Dios cuando creó al hombre. La revelación de Dios sobre la creación del ser humano en dos sexos diferentes aparece en el libro del Génesis. Ahí, en ese primer libro de la Biblia, se dice:

> *«Creó Dios al ser humano a imagen suya, a imagen de Dios lo creó: varón y mujer los creó»*[10].

Esta revelación –en palabras de Juan Pablo II– *constituye la base inmutable de toda la antropología cristiana.* El misterio del hombre se esclarece a partir de esa base. Gracias a ella pode-

[9] *Sexualidad humana: verdad y significado*, Pontificio Consejo para la Familia, 8 de diciembre 1995, n. 122.

[10] *Génesis* 1, 27.

mos comprendernos a nosotros mismos, y comprender también a Dios, como imagen suya que somos:

> *"Hemos de situarnos en el contexto de aquel «principio» bíblico según el cual la verdad revelada sobre el hombre como «imagen y semejanza de Dios» constituye la base inmutable de toda la antropología cristiana"*[11].

Tres realidades de primera importancia se desprenden del texto bíblico:

1ª CREÓ DIOS *AL SER HUMANO*, por tanto, el ser humano es único. Y única –la misma– será su dignidad, sus deberes y sus derechos.

2ª A IMAGEN SUYA, A IMAGEN DE DIOS LO CREÓ. Es ésta la razón profunda de la grandeza del hombre, ya que lleva grabada en su interior *la imagen de Dios*. Tal expresión aclara el carácter específico del ser humano en el conjunto de la obra de la creación, ya que de ninguna otra realidad material se dice lo mismo. Esa dignidad inconmensurable vale, por igual, para el varón y para la mujer, ambos están marcados por la impronta de ser imagen del Creador.

Toda mujer es imagen de Dios, porque es mujer; todo varón es imagen de Dios, porque es varón; cada ángel es también imagen de Dios, porque es espíritu puro. Aunque Dios está por encima de la condición sexual es la causa –por creación– de la

[11] JUAN PABLO II, Carta *Mulieris dignitatem*, n. 6.

misma diferenciación sexual. Pero Dios no es ni varón, ni mujer, ni ángel.

3ª VARÓN Y MUJER LOS CREÓ.

El ser humano, siendo *único*, ha sido creado según dos modalidades: varón y mujer. En conclusión, *ambos son seres humanos en el mismo grado, tanto el hombre como la mujer*; ambos fueron creados *a imagen de Dios*[12].

Así pues, la Biblia reafirma que el ser humano tiene una grandeza que procede de su imagen divina, al tiempo que aclara la unicidad del ser humano, aunque subsista en dos modos distintos: uno «masculino» y otro «femenino». No hay «hombres» en general, sino solamente varones y mujeres. La vida humana se realiza, pues, en dos formas distintas y, a la vez, inseparables.

> *"La vida humana existe disyuntivamente: se es varón o mujer, y ambos consisten en su referencia recíproca intrínseca: ser varón es estar referido a la mujer, y ser mujer significa estar referido al varón. Ni uno ni otra pueden definirse aisladamente"*[13].

Esa realidad disyuntiva es la que permite el surgimiento del amor. La sexualidad, pues, *no es un fin en sí misma*, sino que sirve al amor: lo hace posible. En esto consiste su profundo misterio, porque apunta al misterio de Dios, que en su esencia es Amor, y es Vida. Dios tampoco es solitario, sino que es tri-personal. En el Amor infinito del Padre al Hijo se

[12] JUAN PABLO II; Carta *Mulieris dignitatem*, n. 6.
[13] JULIÁN MARÍAS, *La mujer y su sombra*, Alianza Editorial, Madrid 1998, p. 54.

realiza la espiración del Espíritu Santo. Por eso el hombre es imagen de Dios, porque es amado y porque ama. Y porque comunica la vida, fruto del amor. Y eso es lo que la sexualidad enciende, lo que inaugura, lo que la hace radicar en el misterio del hombre, en su vocación, y en su realidad de reflejo divino.

El cuerpo sexuado, pues, nos revela el sentido radical de nuestra vida, ya que expresa la llamada del hombre –varón y mujer– a la relación, al encuentro, al amor y al don de sí. El cuerpo está hecho "para el otro", para alguien que nos necesita, nos espera, nos enriquece y nos complementa. Por eso la sexualidad está orientada al amor y a la vida, y fuera de esa orientación –resultado del pecado original– produce en el hombre una profunda des-identificación respecto a su sentido vital.

> *"La sexualidad humana es un misterio sagrado que debe ser presentado según la enseñanza doctrinal y moral de la Iglesia, teniendo siempre en cuenta los efectos del pecado original.*
>
> *Informado por la reverencia y el realismo cristiano, este principio doctrinal debe guiar toda actuación de la educación en el amor. En una época en que se ha eliminado el misterio de la sexualidad humana, los padres deben estar atentos, en su enseñanza y en la ayuda que otros les ofrecen, a evitar toda banalización de la sexualidad humana. Particularmente se debe mantener el respeto profundo de la diferencia entre hombre y mujer que refleja el amor y la fecundidad del mismo Dios"*[14].

[14] PONTIFICIO CONSEJO PARA LA FAMILIA, *Sexualidad humana: verdad y significado*, 8 de diciembre de 1995, n. 122.

QUIÉN, CÓMO, DÓNDE Y CUÁNDO IMPARTIR EDUCACIÓN SEXUAL

La educación sexual se recibe básicamente en casa. Su lección fundamental es el amor de los padres. Arranca desde el mismo noviazgo de ellos, y aun antes: los padres trasmitirán lo que a su vez hayan vivido y recibido, tanto si sus experiencias y su comprensión de la sexualidad han sido positivas como si han sufrido heridas, deformaciones o carencias. Si los padres han crecido en una escuela de amor y en la escuela del amor han mantenido su vida conyugal, eso mismo transmitirán a sus hijos.

Y es que la educación sexual no es mera educación sobre la genitalidad. La incluye, pero integrada en la totalidad de la persona: ayuda al varón a comprender la grandeza de su ser varón y a la mujer la grandeza de su feminidad. Destaca la importancia de una vida afectiva que aprende a recibir el amor y a darlo. Por eso, dijimos, la lección fundamental es la del amor de los padres. Los momentos que el matrimonio se dedica a sí mismo no son tiempo que se resta a los hijos, sino tiempo de consolidar una unión que los hijos precisan más que nada. Si el amor esponsal se manifiesta armónico y presente en la familia, la base fundamental de una correcta educación sexual está asegurada.

Por otra parte, el amor de los padres sabrá reservar para la intimidad de la alcoba cualquier expresión de amor erótico. Éste, sin duda, es parte integrante del amor esponsal, pero no ha de manifestarse frente a los hijos. Ellos comprenderán que el ejercicio de la sexualidad obliga a mantener reserva, y que tiene sus tiempos y sus lugares. Si las caricias o los besos menos recatados han de ser evitados en público, el cuidado se ha de multiplicar, si cabe, frente a los hijos.

La educación sexual no tiene fecha de iniciación, como tampoco la tiene la educación para el lenguaje o la locomoción. Esta educación se da con el ejemplo, como educación al amor que es. Y el amor, más que enseñarse, se vive. El niño percibe esa adecuada educación ya desde el seno de su madre, y luego cuando ésta lo tiene entre sus brazos y le manifiesta lo intenso de su cariño.

Enseñar en qué consiste la sexualidad, la concepción, el nacimiento, las diferencias entre varones y mujeres, no es algo que deba hacerse cuando el niño alcanza los seis, ocho o doce años. No es acertado pensar: “hoy ha llegado el día de hablar a mi hijo o a mi hija”. Esta peculiar educación debe ser algo natural, experimentado de modo inconsciente, verídico, que se va enriqueciendo constantemente.

La sexualidad está al servicio del amor, y el amor lleva a una recta comprensión de la sexualidad. Por ello, el niño que se sabe amado y aprende a amar, está en la mejor plataforma para realizar su sexualidad como algo positivo y enriquecedor.

La restante educación sexual seguirá a aquello. El padre o la madre irá contando todo a sus hijos de modo natural, de la misma manera como les dice que los pollitos nacen del huevo que puso la gallina. Si los padres no proporcionan educación sexual a sus hijos no es tanto por falta de conocimientos, sino por timidez, o por una repugnancia injustificada hacia este tema o, más a menudo, por comodidad. Muchos padres no hablan de estos temas con sus hijos. A veces –dijimos– porque no saben cómo; otras veces, aunque lo sepan, no lo hacen por temor. Aunque la razón más profunda de esta ausencia de comunicación podemos encontrarla, precisamente, en la falta de comunicación previa que no ha propiciado la confianza. Si papá e hijo, mamá e hija –a veces también con el progenitor del sexo opuesto– han hablado muchas veces, de muchas cosas, si se ha establecido una verdadera comunicación, es bastante probable que este aspecto se resuelva convenientemente.

Los hijos agradecen la confianza de los padres cuando hablan frecuentemente con ellos. A veces incluso eso ayudará a que los consideren sus confidentes o consejeros. Un sano espíritu de amistad y de confianza será imprescindible. Esa amistad hace posible

> *"... que sean los padres quienes den a conocer a sus hijos el origen de la vida, de un modo gradual, acomodándose a su mentalidad y a su capacidad de comprender, anticipándose ligeramente a su natural curiosidad; hay que evitar que rodeen de malicia esta materia, que aprendan algo –que es en sí mismo noble y santo– de una mala confidencia de un amigo o de una amiga"*[15].

[15] SAN JOSEMARÍA ESCRIVÁ, *Conversaciones con Mons. Escrivá*, Rialp, Madrid 1968, n. 100.

Los libros y folletos destinados a enseñar a los niños cómo nacieron ellos y sus hermanos ayudan, pero no reemplazan, la tarea fundamental que corresponde a los padres. Así como el libro escolar ayuda a comprender lo que es la alimentación o el descanso, ellos sabrán mucho más por la costumbre familiar relativa a esos temas.

"No podemos olvidar que se trata de un derecho-deber, el de educar en la sexualidad, que los padres cristianos en el pasado han advertido y ejercitado poco, posiblemente porque el problema no tenía la gravedad actual: o porque su tarea era en parte sustituida por la fuerza de los modelos sociales dominantes y, además, por la suplencia que en este campo ejercían la Iglesia y la escuela católica. No es fácil para los padres asumir este compromiso educativo, porque hoy se revela muy complejo, superior a las posibilidades de las familias, y porque en la mayoría de los casos no existe la experiencia de cuanto con ellos hicieron los propios padres. Por esto, la Iglesia considera como deber suyo contribuir a que los padres recuperen la confianza en sus propias capacidades y ayudarles en el cumplimiento de su tarea"[16].

Si los padres de familia no asumen esta responsabilidad, serán otros quienes comuniquen a los niños los misterios de la transmisión de la vida. Compañeros o personas cuya recta intención no es segura. Además, las dudas impulsarán a los

[16] PONTIFICIO CONSEJO PARA LA FAMILIA, *Sexualidad humana: verdad y significado*, 8 de diciembre de 1995, n. 122, n. 47.

niños, adolescentes y jóvenes a buscar información impresa o electrónica, y recibirán la iniciación sexual con crudo realismo y deformadamente, despertándose en ellos apetitos perturbadores. Sería lamentable que su iniciación se basara en descripciones obscenas que reflejan corrupción y perversidad.

> *Pretender que permanezcan ignorantes es el modo más seguro de poner a los hijos en peligro. No olvidemos la profunda enseñanza del cuento de La bella durmiente. El rey, para poner a salvo a su hija de la maldición de una bruja malvada, manda destruir todas las ruecas del reino, pues piensa que así la princesa no correrá ningún riesgo, y a ella, por supuesto, no le menciona nada del asunto. Pero a la primera oportunidad la princesa se pincha el dedo: nunca había visto una rueca, ni sabía cómo emplearla. La clave de la verdadera protección es, justamente, el recto conocimiento de las cosas.*

Sin embargo, una adecuada educación sexual en el hogar se opone al naturalismo –difundido en centros educativos, campañas gubernamentales, etcétera– que confunde la sexualidad con la genitalidad, es decir, que no integra la sexualidad en la persona y su proyecto vital.

¿CUÁL ES EL PAPEL DE LA ESCUELA EN LA EDUCACIÓN SEXUAL?

Como toda la educación, la sexual es un derecho y un deber que compete originariamente a los padres de familia. Sin embargo, éstos se encuentran muchas veces como «desarmados» –por razones varias– para cuidar este aspecto de la educación de sus hijos. La escalada del erotismo, y quizá también una postura laicista, han hecho que la escuela moderna pretenda llevar a cabo, casi siempre más con la intención que con los hechos, un programa de educación sexual.

Que los padres sean los responsables fundamentales de la educación sexual no significa que la escuela deba omitirla, siempre y cuando resulte prudente y oportuna, desarrollándose en estrecha colaboración con ellos:

> *"La educación sexual, derecho y deber fundamental de los padres, debe realizarse siempre bajo su dirección solícita, tanto en casa como en los centros educativos elegidos y controlados por ellos. En este sentido la Iglesia reafirma la ley de la subsidiaridad, que la escuela tiene que observar cuando coopera en la educación sexual, situándose en el espíritu mismo que anima a los padres"* [17].

[17] JUAN PABLO II, Ex. Ap. *Familiaris consortio*, n. 37.

Toda intervención educativa relativa a la educación en el amor, por parte de personas extrañas a la familia, ha de estar, pues, subordinada a la aceptación de los padres, y se ha de configurar no como una sustitución, sino como un apoyo a su tarea. En este sentido, la educación sexual escolar incluiría los siguientes aspectos:

1) Fundamentalmente, albergar un ambiente sano, tanto física como moralmente. Es necesario contar con la influencia que ejerce el ejemplo del educador y la idoneidad formativa del medio ambiente. Si éstos faltan, será muy difícil conseguir resultados satisfactorios. A pesar de tanto ensayo sobre pedagogía sexual, la juventud reacciona y reaccionará siempre contra la hipocresía de quienes enseñan lo que no están dispuestos a practicar.
2) Aunque la educación sexual ha de ser individualizada, eso no significa que en determinadas asignaturas –biología, valores, educación cívica y ética, religión, etc.– no se traten ciertos aspectos con delicadeza y naturalidad, buscando integrarlos en una visión completiva –es decir, no parcial y sectorializada– de la sexualidad y la persona humana.
3) La escuela prestará atención a aquellos casos en que, por real deficiencia de vida o de educación familiar, sea conveniente intervenir directa y singularmente (descubrimiento de situaciones anómalas, por ejemplo). Cuando esa intervención sea aconsejable, deberá encargarse de ella a educadores que posean no sólo una recta comprensión de los ámbitos de la sexualidad, sino también equilibrio personal y coherencia de vida.

Repetimos que la familia es el ambiente ideal para la realización de este aspecto formativo. Los directivos escolares han de consultar a los padres, colaborando con ellos en su delicada tarea. No es prudente ignorarlos, aduciendo que los padres carecen de conocimientos pormenorizados en pedagogía, biología o metodología sexual. Y es precisamente en esta línea en la que los centros educativos podrían y quizá deberían hacer más de lo que hacen. Se trataría de sensibilizar a los padres respecto al cometido de educadores que de modo principalísimo les incumbe, y facilitarles la formación necesaria para que realicen con eficacia su tarea.

Ahora bien, "cuando la familia se inhibe e incumple su tarea, o cuando carece incluso de toda preocupación al respecto, o -peor aún- facilita un ambiente permisivo de video juegos, DVD inconvenientes, etc., entonces la escuela, el educador o profesor de buen sentido moral deben asumir la alta responsabilidad de afrontar en el ámbito escolar la necesaria educación afectiva de sus alumnos. No hacerlo sería añadir una omisión a otra, en una materia que no admite descuidos ni vacíos, por su importancia capital"[18].

En los siguientes ejemplos queda patente no sólo una errónea educación sexual escolar, sino también la exclusión de los padres en la misma:

[18] JOSÉ MIGUEL IBÁÑEZ LANGLOIS, *Sexualidad Amor Santa Pureza,* Rialp, Madrid 2007, p. 153.

Me cuenta una compañera que su hijo llega a casa todo indignado:

«Fíjate, mamá, lo que ha pasado hoy en el colegio. Llega un señor a la clase y da una charla sobre el SIDA, y cuando acaba, deja una caja con muestras de preservativos encima del pupitre y nos invita a tomarlos. Algunos compañeros se levantan para llevarse uno. A mí me dio mucha vergüenza sobre todo por Patricia» (Patricia es su hermana de 14 años). Mi compañera decide ir al colegio para hablar con el director porque no se ha consultado a los padres antes de este proceder.

Después de una clase de educación sexual en el colegio, un niño de 10 años le cuenta a su madre: «Mamá, la maestra nos dijo que el condón sirve para no dejar embarazada a la novia, y que la fecundación in vitro sirve para tener hijos» [19].

A la larga, ningún programa de educación sexual tendrá eficacia si el educando no poseyera motivaciones suficientemente profundas y concordes con los valores trascendentes que su persona encierra. Por eso, no debe omitirse en esta educación la explicación de la sexualidad como participación en el poder creador de Dios, y ocasión de generosa entrega. En este sentido, la educación cristiana ofrece la

[19] Cf. ANA OTTE, *Cómo hablar a los jóvenes de sexualidad*, EIUNSA, Madrid 2006, pp. 80-81.

inestimable ayuda no sólo de la comprensión recta y profunda de la antropología, sino también la conciencia de que cada ser humano es hijo de Dios, participante de la vida divina y con un destino sobrehumano y eterno. Esta concepción del ser y del destino del hombre, al ser no sólo alta sino altísima, permitirá que los enfoques hagan trascender, y mucho, los planteamientos reductores de la persona humana.

¿CUÁLES PODRÍAN SER ALGUNAS RAZONES POR LAS QUE LOS PADRES NO CUMPLEN SU DEBER DE PROPORCIONAR EDUCACIÓN SEXUAL A SUS HIJOS?

La sugerencia expresa de que los iniciadores en el tema que nos ocupa sean los padres, estriba en la importancia de asociar desde el primer momento todo lo sexual a la esfera del amor, fuera de la cual no tiene ningún sentido, al menos un sentido verdaderamente humano. ¿Y quién puede hablar mejor del amor que aquellos cuyo amor recíproco, en su versión sexual, fue el origen y la fuente de la que nacieron esos hijos, hoy ansiosos de conocer su propia prehistoria?

Ahora bien, si la educación sexual básica incumbe a los padres, ¿por qué muchas veces no cumplen ellos con este primordial deber? Cabodevilla ofrece un elenco posible de respuestas:

"Ellos mismos carecen de una educación adecuada, y les sería imposible encontrar unas palabras tan limpias que no lastimasen a una criatura cándida, unas palabras suficientemente distintas de las que están acostumbrados a usar cuando hablan de este tema con los amigos. ¿No es acaso un motivo de inhibición su propia vida torpe, descarriada o, al menos, mediocre? Es casi insalvable el abismo -la dificultad para el diálogo que esto engendra- entre la inocencia de un niño y las viejas pasiones de un adulto. Quizá sea el miedo a que el hijo, a través de unas frases desmañadas, adivine las innumerables miserias del padre en ese terreno; quizá sea que no se reconocen con derecho a juzgar, a discernir lo bueno de lo malo, aquellos que tienen tras sí una historia lamentable. Quizás sea un simple temor a no saber destacar las diferencias entre la trivialidad de un acto material y la majestad incalculable de una nueva vida humana, el temor a no saber fundir esas diferencias en unas palabras que enlacen con sencillez lo divino y lo humano.

Existen otros padres, castos, pero de una castidad amargada, sin ilustración, sin alegría, que no osan imponer a su hijo una austeridad de cuyo valor han acabado dudando. Puede ocurrir que sea una falsa concepción de la pureza lo que impida a otros padres tratar la cuestión: ¿no contribuirá a introducir ya al niño, prematuramente, en el mundo del pecado?

Pero tal vez la razón sea, en muchas ocasiones, nada más la comodidad, la pereza, el no querer complicarse la vida, el creer que eso es misión del colegio, o de los sacerdotes, o de… de alguien, no saben quién, pero de ellos, desde luego, no. Además ellos tienen otras mil preocupaciones; desean de sus hijos más paz que amistad. Con frecuencia es el padre quien juzga que eso es incumbencia de la madre. ¿Lo hará la madre? ¿Con qué probabilidades de acierto? Es claro que la educación sexual de la hija corresponde, sin lugar a dudas, a la madre; pero ¿la de los hijos varones? Si el hijo es ya de cierta edad, la madre no podrá cumplir su cometido con éxito; lo hará de manera deficiente, pues ésas son cosas que reclaman la autoridad, la experiencia y el lenguaje masculinos. Fácilmente el padre intenta persuadirse de que aún es pronto, y se promete a sí mismo hacerlo cuando el hijo crezca un poco más; pero sucede que las inquietudes de la adolescencia suelen turbar todavía más que la ingenuidad de las preguntas infantiles, y a medida que el hijo va madurando y endureciendo su personalidad, menos ánimo tendrá el padre para acometer una empresa cada vez más ardua. Así llegará un día, cualquier día, en que tal padre tratará de convencerse del otro extremo contrario: ya tal iniciación es innecesaria, ya que el muchacho, con sus amigos, ha aprendido todo cuanto tenía que aprender"[20].

EN RESUMEN, ¿QUÉ ASPECTOS DEBE INCLUIR LA EDUCACIÓN SEXUAL?

La educación sexual debe incluir los siguientes aspectos:

–el anatómico y fisiológico:

estructura, situación y funcionamiento de los órganos reproductores femenino y masculino.

Este conocimiento ayuda a comprender la grandeza y sabiduría de Dios al crear las funciones sexuales, valorando el sexo como algo bello, natural y maravilloso. Conocer los nombres de los órganos sexuales permite referirse a ellos con propiedad y claramente, evitando el peligro de ubicar esos ámbitos en el orden de lo oculto, tras nombres raros y expresiones propias sólo de iniciados;

[20] JOSÉ MARÍA CABODEVILLA, *Hombre y mujer*, BAC, Madrid 1962, pp. 441-2.

–el biológico:

surgimiento y desarrollo de la vida humana.

Una correcta instrucción biológica sobre la vida humana lleva a la admiración ante los prodigios de la Creación. Sin embargo, no ha de limitarse a simple *biologismo,* ya que las células femeninas y masculinas, en su unión, trascienden su orden propio, dando lugar a algo muy superior a un mero animal vivo;

–el unitivo o coital:

comprensión de que la unión de los cuerpos, cuando se trata de seres humanos, no es una simple acción animal o puramente instintiva.

Como todos los actos que realiza el hombre de modo consciente y voluntario, la unión coital es también un acto humano y, por tanto, susceptible de realizarse con altura moral o sin ella. En el primer caso, se tratará de un verdadero acto humano; en el segundo, de un mero desahogo carnal.

Así como el ser humano no «traga» sino que bebe; así como no «deglute», sino que come, la unión corporal será expresión de donación o entrega cuando es realizada en su orden propio: como culminación del amor esponsal abierto a la vida.

Proporcionar esta información aislada de su contexto es reducir la sexualidad a la sola genitalidad;

–el psicológico:
que abarcaría un doble aspecto: la identificación del educando con su propio sexo, y la educación de su esfera afectiva.

La sexualidad se orienta a la unión de personas de distinto sexo, por una parte y, por otra, a que esa unión se realice no sólo corporalmente sino también en el ámbito más profundo de su ser, en sus corazones. Se trata de hacer posible la posesión y la entrega de la persona completa, en cuerpo y alma, y por lo tanto en el arco total de su temporalidad;

–el antropológico,
comprendiendo la realidad del hombre como un ser caído y redimido, sujeto a torcidas tendencias que es preciso superar, y elevado a un plano de colaboración con Dios para la difusión de su reino;

–el moral:
en la consideración de la vida sexual enmarcada en el ámbito de la ley moral natural y de la ley moral revelada.

Se propone, por ello, la rectitud de vida en lo referente a las relaciones sexuales, las cuales, justificadas e impelidas sólo por el amor y la entrega plena, son exclusivas de la unión matrimonial y están orientadas a la procreación.

La educación sexual vendrá a ser, en este ámbito, educación en la virtud de la castidad. Hay que conceder un gran peso al esfuerzo que corresponde al educando, debidamente motivado y canalizado, de modo que consiga la firmeza de carácter y el dominio sobre las inclinaciones desordenadas de su concupiscencia. De ahí que a la educación sexual deba acompañar siempre una adecuada educación de la voluntad, contando con la inestimable ayuda de los sacramentos, de la oración, de la vida de participación social y eclesial, de la devoción a María Inmaculada, etc.;

–el trascendente:

al considerar la especial intervención de Dios, que crea e infunde un alma espiritual en el instante mismo de la concepción.

Un acto físico –la unión de los cuerpos–, situado en el tiempo, se proyecta en la eternidad y alcanza los ámbitos propios del mismo Dios.

La educación sexual busca la integración lograda de la sexualidad en la totalidad de la persona. Es la verdad sobre el hombre y la tarea que Dios le encomienda: "crezcan y multiplíquense, y llenen la tierra… dejará el hombre a su padre y a su madre, y se unirá a su mujer, y serán los dos una sola carne"[21].

¿QUÉ CUALIDADES DEBE REUNIR UNA BUENA EDUCACIÓN SEXUAL?

Son las siguientes:

[21] *Génesis* 1, 28; 2, 24.

1ª, verídica,

ajustada a la verdad de los hechos, lo que no quiere decir vulgaridad ni crudeza. Pero sí llamando a las cosas por su nombre. Un antiguo Padre de la Iglesia –san Clemente de Alejandría– escribió: *"No debemos avergonzarnos nosotros de nombrar aquello que Dios no se avergonzó de crear".*

2ª, gradual,

adecuada a la edad, al sexo, a las características personales del educando y al ambiente en que vive, evitando llegar tarde o, por el contrario, anticipándose imprudentemente a lo que el educando ni siquiera sospecha;

3ª, personal, individualizada,

al menos en los aspectos en que el educando pueda requerir de la confianza y autoridad del educador para exponer sus dudas y debilidades;

4ª, integrada,

de modo que englobe los distintos aspectos que conforman la realidad sexual. Se trata de una verdadera educación –no de simple información–, que llevará al surgimiento de las mejores virtualidades del individuo, particularmente en su vida afectiva y su capacidad de amar;

5ª, impartida en el ámbito familiar,

de modo principal, aunque no exclusivo, por los padres. Ellos se basarán en "dos verdades fundamentales:

–La primera es que el hombre está llamado a vivir en la verdad y en el amor.

–La segunda es que cada hombre se realiza mediante la entrega sincera de sí mismo"[22];

6ª, positiva,
logrando resaltar la maravilla del don de Dios, la sabiduría de su proyecto y la elevación de quienes consiguen integrar la sexualidad en la totalidad de la persona.

¿CÓMO COMPRENDER QUE UNA SEXUALIDAD DISTORSIONADA CAUSA GRAVES DAÑOS?

La sexualidad –enseña la Iglesia– *no es algo puramente biológico, sino que afecta al núcleo íntimo de la persona humana en cuanto tal* [23]. No sólo incide en la persona, no sólo la afecta «en cierto sentido», sino que va a lo esencial, afecta a su *núcleo íntimo*. Cuando se daña este aspecto de la persona, sus consecuencias son mucho más graves que si el daño fuera, por poner un caso, en su conocimiento o en su voluntad. Si mi inteligencia ha captado algo erróneamente, basta que modifique esa información y me incline a la verdad. Si mi voluntad falla, puedo –con mayor o menor esfuerzo– convertirla al

[22] PONTIFICIO CONSEJO PARA LA FAMILIA, *Sexualidad humana: verdad y significado*, 8 de diciembre de 1995, n. 122, n. 37.
[23] *Catecismo de la Iglesia Católica*, n. 2361.

bien. Pero una herida referente a la sexualidad incide en el corazón, en la capacidad de recibir el amor y de darlo, porque son trastornos que "afecta al núcleo íntimo de la persona".

Una vida desarrollada serenamente en el ámbito de la sexualidad proporciona:

1) Equilibrio psicológico, otorgando a la persona serenidad y confianza en sí misma.
2) Equilibrio moral, evitando una conciencia turbada con sentimientos de manchas y culpa.
3) Equilibrio afectivo, en cuanto logra una educación en el amor que dispone al don de sí.

> *"La sexualidad es una riqueza de toda la persona —cuerpo, sentimiento y espíritu— y manifiesta su significado íntimo al llevar la persona hacia el don de sí misma en el amor"* [24].

De modo que una sexualidad mal orientada alcanza una elevada influencia perniciosa respecto a la felicidad del hombre, que consiste sobre todo en saberse amado y en saber amar. Lo ejemplifica el siguiente caso. Una sucesión de eventos desafortunados de los que la protagonista era inocente, ocasionados por pasiones eróticas desordenadas y la falta de adecuados modelos familiares, causarán en ella importantes trastornos en la totalidad de su persona: cuerpo, sentimiento y espíritu.

[24] JUAN PABLO II, *Ex. Ap. Familiaris consortio,* n. 37.

CASO: ALICIA

A los seis años sufrí un primer abuso sexual. Vagamente recuerdo la escena: un hombre –no se me grabó ningún rasgo de su fisonomía– me cargó en sus brazos mientras deslizaba su mano entre mi ropa interior… no hay más en mi memoria; incluso a veces dudo que haya sido real, pero seguramente hay algo en mi subconsciente…

Tenía aproximadamente doce años cuando sufrí un segundo abuso. El padre de una amiga mía intentó tomarme por la fuerza en su casa, había una fiesta y mucha gente, por tanto fue fácil zafarme. Hubo un segundo intento y, aprovechando su mayor fuerza, me besó. Yo permanecí inmóvil con la boca cerrada en señal de rechazo pues no podía correr, me apretaba muy fuerte. Por fin me dejó en paz y salí corriendo. Nunca volví a entrar en esa casa, pero ver por la calle a ese hombre me causaba terror. No hablé de ello a nadie.

Recuerdo, no sé si antes o después de lo anterior, que comencé a tener un deseo muy grande de cariño. Lo busqué pretendiendo amistades espirituales profundas en la escuela, pero fue un período de soledad tremendo pues no hubo quien mostrara empatía con mi deseo. Mi padre era un hombre muy bueno pero débil de espíritu. Mi madre ha sido hasta el día de hoy una mujer rigurosa, sobre protectora de sus hijos. En casa éramos dos mujeres y dos varones, todos en plena juventud. El mayor de mis hermanos comenzó a irrumpir mi intimidad en la habitación de las mujeres cuando me encontraba en la cama, con objeto de tocarme. Entonces supe lo que era la ansiedad que me causaba mi extremada sensibilidad.

Las cosas fueron a más. En el techo de mi baño había un domo de plástico opaco, y alguien -no sé si mi mismo hermano- había hecho una abertura por la cual me espiaba al bañarme. Esto me provocaba estados de ansiedad cada vez mayores, al grado de evitar el baño durante tiempos prolongados. En estos años tuve los periodos más fuertes de migraña. También experimenté confusión de personalidad: ya no usaba falda, sólo pantalones, y mis modos de comportarme eran muy varoniles. Un día de discusión familiar dije a mi madre, frente a mi hermano, lo que sucedía. Ella no le dio mayor importancia a mi comentario, y nunca volví a decir nada. Mi hermano intentó cosas peores, que no resultaron. Descansé un poco cuando contrajo matrimonio y se fue de casa. Descansé aún más cuando vendimos esa casa, pues usar ese baño me causaba shock.

Por mi parte, no encuentro relación, pero mi necesidad de afecto crecía más. Hice buenas amistades y descubrí que mi seguridad ha sido desde entonces la creación de lazos que me proporciona el cariño de amistades profundas.

Todavía ahora, a los treinta y tres años, tengo crisis depresivas combinadas con periodos de ansiedad y angustia. Experimento en ocasiones impulsos de agresividad desproporcionados ante diversas circunstancias injustas. Con frecuencia experimento terror a la soledad. La escena del baño recurre a mi mente como pesadilla frecuente. Encuentro como causas de mi situación los desajustes emocionales que causaron en mí las desagradables experiencias de acoso sexual, junto a la actitud rigorista de mi madre y la debilidad de mi padre. La ausencia de la adecuada figura paterna y las agresiones sexuales me llevaron a desconocer el limpio amor masculino. Considero que mi extrema sensibilidad me hace muy vulnerable, y me ha ido causando los trastornos psíquicos a que antes me he referido.

Sin embargo, no pierdo la esperanza. El reconocimiento de mi herida me hace comprender que hay muchos ámbitos de mi alma que Dios me ha mantenido incólumes. Sé que si Dios ha permitido mi sufrimiento en la infancia y en la adolescencia es porque será para bien. Ejercitándome en la reconstrucción del amor paterno desde la Redención de Cristo.

II. LA EDUCACIÓN SEXUAL DIRIGIDA A LOS NIÑOS

¿QUÉ TIPO DE EDUCACIÓN SEXUAL DEBE DARSE A NIÑOS PEQUEÑOS?

Una completa educación del niño –incluso desde su más tierna infancia– supone una adecuada educación sexual. La participación acertada y profunda de los padres evitará que en el futuro los hijos adopten conductas inoportunas o desviadas, o que sufran heridas difíciles de sanar.

Un gran porcentaje de personas con problemas psicopatológicos encuentran la raíz de sus neurosis en carencias afectivas, en situaciones relacionadas con la afirmación de su sexualidad, o en actividades genitales precoces, abusivas o deformadas. Esos problemas muchas veces se han originado en la infancia, se han agravado en la adolescencia, y se han consolidado en la juventud.

Ya desde antes de nacer, el nuevo ser humano experimenta la aceptación o el rechazo. Las mujeres que trabajan con chicas embarazadas que desean abortar buscan cuando antes hacer una caricia en el vientre que guarda esa creatura. Es una manera de mostrar a las madres que lo que llevan en sus entrañas es objeto de amor. Muchas veces es el primer signo de aceptación del futuro bebé. Al nacer, ese bebé deberá encontrar la primera y fundamental escuela en el cariño de los brazos maternos. Si eso no ocurre, pueden esperarse desajustes psicológicos en el niño, que dificultarán luego –en la adolescencia, en la juventud y en la madurez– la recta integración de su sexualidad.

De modo que los esfuerzos de los padres en esta etapa de la vida de sus hijos han de orientarse al surgimiento y primer desarrollo de la vida afectiva de sus bebés. Si en sus primeros contactos con la realidad exterior el niño no encuentra un clima afectivo propicio, su personalidad se resentirá luego. Tanto la falta de afecto –materno sobre todo– como la excesiva presión de una afectividad ansiosa o poco equilibrada –casi siempre también materna–, ejercerán sobre él un replegamiento afectivo, favoreciendo posturas de autocomplacencia y, posiblemente después, de autoerotismo. Particularmente importante será también el clima de serena tranquilidad del hogar, donde no aparezca la violencia en ninguna de sus formas.

"Las ciencias psicológicas y pedagógicas, en sus más recientes conquistas, y la experiencia, concuerdan en destacar la importancia decisiva, en orden a una armónica y válida educación sexual, del clima afectivo que reina en la familia, especialmente en los primeros años de la infancia y de la adolescencia y tal vez también en la fase pre-natal, períodos en los cuales se instauran los dinamismos emocionales y profundos de los adolescentes. Se evidencia la importancia del equilibrio, de la aceptación y de la comprensión a nivel de la pareja. Se subraya además, el valor de la serenidad del

encuentro relacional entre los esposos, de su presencia positiva –sea del padre sea de la madre– en los años importantes para el proceso de identificación, y de la relación de sereno afecto hacia los niños" [1].

En el *primer año de vida*, los padres –particularmente la madre– observará que los pequeños empiezan a interesarse por la exploración del propio cuerpo. Es frecuente que lleven a cabo entonces esporádicos tocamientos de sus órganos genitales, una especie de actividad genital instintiva. Ellos se tocan todas las partes del cuerpo: boca, pies, cara, y también los órganos genitales. Es algo normal que no debe suscitar alarma. No han de recibir reprensiones violentas –gritos o amenazas–, sino que sencillamente se procurará orientar su atención hacia otras cosas, desviándola de su propio cuerpo: a veces bastará darles un juguete o un animal de peluche para que olviden esa actividad. Lo que importa es, por un lado, que no se le suscite pánico y, por otro, que no adquiera un hábito que más adelante podría comprometer su buen desarrollo.

Si el bebé se toca o frota mucho, es preciso asegurarse de que no hay razón física para estar molesto: irritación, comezón, etc. Ahora bien, en caso de que persista en su actitud y descartándose una causa física local, los niños se dejarán de manosear si se sienten felices, lo que quiere decir, amados, abrazados, acompañados. No es bueno, por ello, dejarlos

[1] PONTIFICIO CONSEJO PARA LA FAMILIA, *Sexualidad humana: verdad y significado*, 8 de diciembre de 1995, n. 50.

mucho tiempo solos. El mejor lugar para el niño es estar donde está su madre.

De los *dos a los cinco años* continúa el proceso de diferenciación sexual. La curiosidad del pequeño suele incidir en dos cuestiones: la diferencia de sexos (generalmente detectada hacia los tres años), y la cuestión del nacimiento (de dónde vienen los niños). Si no ha notado anteriormente un clima de reserva y disimulo sobre esos temas, el niño los preguntará con toda naturalidad y sin establecer de ordinario conexión entre una cuestión y la otra (es decir, no relacionará la diferencia de sexos con la aparición de los niños). En ambas ocasiones (que se darán casi siempre distanciadas), debe contestárseles *con veracidad* y de modo *adecuado a su mentalidad*. Sería improcedente enfrascarse en explicaciones que el niño ni puede ni está interesado en comprender.

Nunca se insistirá bastante en la importancia de esas primeras impresiones en el alma infantil. Se trata de un alma cándida, pura, en la que cualquier brusquedad podría ocasionar huellas permanentes. En este sentido, por ejemplo, es preferible que las primeras nociones del misterio de la vida procedan del mundo vegetal –las flores, el polen– que del mundo animal. O bien, aún mucho mejor, que su noción inicial se relacione con el Niño Jesús y la Virgen María. La proximidad de la Navidad o el aprendizaje del Ave María *–bendito es el fruto de tu vientre, Jesús–* podrían suponer una ocasión insuperable.

Con la llegada de la edad escolar, irá mostrando un creciente interés por el trato con amigos y compañeros de clase.

Es ésta una época que requiere especial cuidado por parte de los padres. Si éstos han sabido crear en la familia un ambiente de diálogo y confianza, podrán corregir las eventuales deformaciones que el niño haya recogido de algún compañero, en algún medio impreso o electrónico, o simplemente en la calle. Aunque a esas edades ya se sienten afirmados en su sexo, necesitan que sus padres les aclaren las dudas que naturalmente vayan surgiéndoles. Si las respuestas son veraces y adecuadas, vivirán una infancia feliz, en la que pierden interés por las cuestiones genitales, hasta que aparezcan los cambios de la pubertad.

¿CÓMO RESPONDER LAS PREGUNTAS DE LOS NIÑOS SOBRE LA SEXUALIDAD?

Con la verdad y sin respuestas evasivas. Pero *no con toda la verdad.* Se trata de avanzar por la ley de la gradualidad, acomodándose a su capacidad de comprensión y esperando nuevas preguntas, que darán oportunidad a nuevas aclaraciones. Hay que responderles a *todo* lo que pregunten y *sólo* lo que pregunten.

Responderles *con la verdad* tampoco significa decir la verdad descarnada, de modo áspero, burdo. El alma del niño es una cera blanda que debemos tratar con suma delicadeza. Cualquier paso en falso podría suponer el inicio de una deformación.

Además, el padre o la madre han de hablar al niño con naturalidad, sin nerviosismos, empleando el mismo tono que cuando los chicos preguntan: *¿De dónde viene el agua cuando llueve?* Si no actúan con naturalidad, el niño capta al vuelo que su pregunta tiene algo de raro, que no se le contesta de la misma manera que otras veces, incluso que no se le contesta. Una actitud asustadiza, escandalizada o represora no hará sino provocar una curiosidad malsana.

¿Cuáles podrían ser algunas de esas preguntas, y cómo responderlas?

A los *dos o tres años* el niño podría preguntar: "¿Por qué mi hermanita se sienta para hacer pipí?" (La niña: "¿Por qué mi hermanito hace pipí parado?"). En otras ocasiones, es el momento del primer baño del hermanito que acaba de nacer la circunstancia en la que se dan cuenta que son distintos; otras veces, al jugar con muñecos y muñecas. Son momentos propicios para explicar la diferencia entre varones y mujeres: algunos padres hablan de la "colita" de los niños, otros prefieren decir "pene", el nombre que se le da en anatomía. Es importante recalcar que no es que a las niñas "les falte algo", sino que tienen adentro de la barriga otra cosa distinta que no tienen los niños. Desde esa temprana edad es prudente advertirles que no hay un sexo superior al otro. Son diferentes, pero ambos igualmente dignos y perfectos.

De los *tres años hasta los nueve o diez,* las preguntas suelen ser más complejas. Hace falta, por tanto, tener de antemano respuestas previstas. Lo propio de la naturaleza humana es aspirar a la verdad y el niño, por pequeño que sea, tiene derecho a ella. Decirles que los bebés vienen de París o que los trae la cigüeña, es mentir.

Ofrecemos un elenco de posibles preguntas y respuestas. Su utilidad es relativa: valen tan sólo como arsenal de ideas, porque la iniciación específica en cada niño revestirá las formas intransferibles de un caso individual y distinto. Hay que evitar el riesgo de dar respuestas escuetas y anónimas, sabiendo crear un clima fervoroso, amigable. Y siempre, ya que la sexualidad está al servicio del amor, hay que encuadrar las explicaciones a partir de la hermosura y dignidad del amor.

¿DE DÓNDE VIENEN LOS NIÑOS?

- Los niños vienen de Dios: es Él quien hace que un niño viva. Para que eso sea posible, Dios prepara dentro del cuerpo de las mamás un lugar cerca del corazón, calientito, algo así como un nido. Allí está el niño desde chiquito, durante nueve meses y, cuando crece suficiente, el bebé deja el nido y viene al mundo.

- Los niños nacen de una semilla que se pone en la mamá. Ahí van creciendo poco a poco, gracias a que Dios les da la vida, infundiéndoles el alma desde el principio. Cuando ese niño que al principio era chiquitito se hace más grande, las mamás van a un hospital, y los doctores le ayudan a que nazca.

- Antes de nacer, los niños están en las barrigas de sus mamás. Allí crecen dentro de una bolsita (que se llama "matriz" o "útero"), donde viven muy tranquilos y protegidos. Tú también, aunque no te acuerdes, estuviste ahí muy calientito y muy feliz, esperando el momento en que podrías vivir fuera de esa bolsita [2].

MAMÁ, ¿POR QUÉ HAS ENGORDADO TANTO? [3]

- ¿No sabías que ibas a tener un hermanito? Ahora es todavía muy chiquito, y está aquí, dentro de mí. Así como tú vas creciendo todos los días, tu nuevo hermanito va creciendo también todos los días dentro de mí: yo le voy haciendo espacio aumentando mi barriga. Tendrás que ponerte muy contento porque Dios nos ha querido mandar otro niño con el que podrás jugar y compartir todo, ¿no crees?

¿POR QUÉ MAMÁ HA ENGORDADO TANTO? (PREGUNTA AL PAPÁ)

- Porque mamá lleva dentro de ella a tu nuevo hermanito. Piensa que por eso se cansa más, así tú podrás ayudarla

[2] Es posible que -si el niño tiene capacidad para ello- convenga aprovechar la circunstancia para hablar del aborto, como crimen gravísimo, por el que debemos pedir perdón a Dios.

[3] La llegada de un nuevo hermanito es siempre circunstancia propicia para explicar la generación, la gestación y el alumbramiento. Por eso, *pregunten o no*, es oportuno tocar el tema de alguna manera.

siendo muy obediente y cariñoso. Tú también estuviste dentro de mamá, durante nueve meses, y ella se sintió muy feliz al poder llevarte cerca de su corazón durante todo ese tiempo. Por eso las mamás quieren tanto a sus hijos, porque los han llevado dentro y los han alimentado con su cuerpo cuando estuvimos dentro de ellas.

¿CÓMO NACEN LOS NIÑOS?

- El otro día te platiqué cómo dentro de las mamás van creciendo los niños. Cuando un bebé ya está grande y fuerte, sale de la barriga de la mamá por un agujero pequeño que tienen las mujeres. Mientras nace el niño, ese agujero se agranda. Cuando ya nació, se achica y queda nuevamente pequeño. Para que el niño nazca bien, la mamá tiene que ir a un hospital, y ahí la cuidan a ella y al bebé. Es una cosa muy bonita, porque cada vez que nace un niño vemos lo grande que es Dios y cuántas cosas maravillosas hace en la Creación.

¿CÓMO HACEN LOS NIÑOS PARA ENTRAR EN LAS BARRIGAS DE LAS MAMÁS?

(Para iniciar la respuesta, el papá o la mamá podrán buscar los ejemplos comunes del reino vegetal o animal: una flor deja caer las semillas en la tierra, o el perrito introduce la semilla a la perrita. Al principio es preferible –como ya dijimos– elegir ejemplos del mundo vegetal. Luego, podrán emplearse los del mundo animal, preferiblemente de aquellos animales que el niño conozca y quiera, para lograr un clima de benévola aceptación. Luego de la analogía animal o vegetal, es importante resaltar la diferencia: en la generación de seres humanos hay una intervención especial de Dios, que crea e infunde el alma espiritual e inmortal: "Así el papá pone la semilla dentro de la mamá. Sin papás *y sin Dios,* no crecerían niños dentro de las mamás").

¿CÓMO PONEN LOS PAPÁS LA SEMILLA DENTRO DE LAS MAMÁS?

(Añadimos esta pregunta sólo como posibilidad de que sea planteada. El Magisterio de la Iglesia no recomienda ofrecer explicaciones específicas sobre la unión conyugal, a menos de que sean manifiestamente requeridas: "no será necesario, si no es explícitamente solicitado, dar explicaciones detalladas de la unión sexual"[4]).

- Tú sabes que papá y mamá se quieren mucho. Ese amor tan grande lleva al papá a abrazar muy fuerte a la mamá para poner dentro de ella la semilla. El órgano que posee el varón se introduce dentro del agujero que tiene la mujer, y allí deja un líquido que contiene la semilla o huevo del futuro niño. Es un misterio muy grande, porque de cosas materiales, es decir, de células de nuestro cuerpo, surge una nueva vida humana. Como te he dicho otras veces,

[4] PONTIFICIO CONSEJO PARA LA FAMILIA, *Sexualidad humana: verdad y significado,* 8 de diciembre de 1995, n. 90.

todo esto sería imposible sin Dios: Él hace que en esas células comience la vida de un bebé, porque Dios le da el alma espiritual, el principio de vida por el que cada hombre es eterno. Incluso después de su muerte, el hombre, gracias a su alma, permanece viviendo para siempre. Cuando los padres se dan ese abrazo, uniéndose tan íntimamente, hacen un acto de amor bendecido por Dios. Es algo tan grande que solamente ha de hacerse dentro del matrimonio: si alguien lo hace sin estar casado comete un grave pecado.

- Dios quiso que los padres le ayudaran a traer nuevos seres humanos al mundo. Para eso, creó los cuerpos de varones y mujeres de modo que pudieran unirse. Ya sabes las diferencias que hay entre los cuerpos de los niños y los de las niñas, que la mujer tiene un órgano que sirve para que el papá ponga la semilla. La semilla del padre pasa a través del pene al organismo de la madre, por el mismo orificio por el que luego nacerá el hijo. Este acto es bueno y santo, pues Dios lo ha pensado así, y además es algo muy maravilloso, porque Dios mismo interviene creando el alma del nuevo ser que se concibe, bendiciendo de ese modo el amor de los padres. Las mujeres no tienen la semilla, y los varones no tienen en su barriga un lugar donde albergar al hijo, de modo que uno necesita del otro. Así lo ha hecho Dios para que una mujer sola no pueda tener hijos, ni tampoco un hombre solo, y así luego ellos juntos, papá y mamá unidos, saquen adelante a sus hijos, los cuiden, los alimenten y los eduquen. Dios quiso que toda la familia, ayudándose, pudiera estar junta en el cielo.

(Repetimos que ésta es la pregunta que exige una respuesta más delicada. De ahí que importe mucho no sólo lo que se diga, sino cómo se diga. Si se habla al hijo con profundo convencimiento de la grandeza del abrazo conyugal como expresión del amor y de la fecundidad de Dios, los hijos percibirán la procreación como algo maravilloso).

Ahora bien, ¿y si los niños no preguntan nada?

Si el pequeño llegó ya a los cinco años y no ha cuestionado nada, es oportuno que el padre o la madre saquen el tema con habilidad y paulatinamente, evitando detalladas explicaciones que aburrirían al pequeño. Lo normal es que el niño pregunte: si no lo hace es porque ya preguntó a alguien, o porque se enteró sin buscarlo, casi siempre con explicaciones inadecuadas. Por eso, es preferible llegar unos meses antes que unos minutos después.

¿POR QUÉ HA DE DECIRSE LA VERDAD?

Porque la norma elemental y primera de toda educación es no mentir.

El niño tiene derecho siempre a una respuesta verdadera; más o menos matizada, encuadrada en su propio orden de investigación, situada al nivel de su entendimiento, pero siempre una respuesta verdadera. Además, la verdad -que procede de Dios- es siempre inseparable de lo bueno y de lo bello, de lo grato, de lo tierno, de lo humano. Así lo hace comprender Cabodevilla en el siguiente texto:

"Es preciso incluso defender la incomparable belleza de la verdad. ¿Ese proceso lento y complicado, ese origen escondido en los mismos oficios del amor, esos sufrimientos maternales de muchos meses, no es acaso todo esto indeciblemente más bello que todos los mitos? Cuando los niños han conocido la gran verdad, he aquí que la expectación de un nuevo hermano es vivida en el clima familiar como una larga vigilia santa, durante la cual es muy fácil interesar a los pequeños, medianamente sensibles al pensamiento religioso, en la dulce tarea de disponer al que va a venir un lugar en la ancha comunión de los santos, de prepararle ya, mediante sus pequeños sacrificios y plegarias, un capital de méritos sobrenaturales que se encontrará ya amasado por el amor fraterno en el momento de nacer... ¿Y el tierno respeto, la estimación sin límites con que miran a su madre? Hay como una porfía entre los pequeños por cuidarla, con deliciosa y conmovedora torpeza; por traerle un cojín, por no hacer ruido, por ahorrarle ciertos quehaceres. Hay como un agradecimiento hondísimo en sus almas hacia aquella que con su propia sangre, con sus propios dolores, con su propio sueño encendido de anhelante espera, formó en su seno el cuerpo que ellos hoy poseen.

Las familias que han sabido revelar a sus hijos la verdad, despojándola de toda adherencia falsa y postiza, elevándola hasta el misterio sagrado de los designios divinos creadores, conocen esa paz que ninguna desangelada información posterior puede turbar, la confianza que ninguna reserva empaña, la amistad entre padres e hijos que nunca el temor de ser engañados puede amenazar; esa amistad que los hijos consideran con gratitud y el legítimo orgullo de haber sido dignos de que sus padres les hiciesen la gracia de una confidencia preciosísima, infinitamente delicada"[5].

¿ES CONVENIENTE QUE LOS NIÑOS DUERMAN EN LA MISMA CAMA QUE SUS PADRES?

No. Los niños tienen que acostumbrarse a respetar la intimidad de la alcoba conyugal y saber que la cama de sus padres es un lugar que –al menos de noche– les pertenece a ellos. En la habitación de los niños y antes de darse al sueño, los padres tendrán la alegría de acompañarlos a rezar –costumbre que ayudará a todos a revalorizar lo trascendente, a tener conciencia de lo sagrado.

Facilitará para ello la presencia de crucifijos y de imágenes de la Santísima Virgen María en la habitación. La infancia es una época particularmente propicia para captar el misterio de la fe y desarrollar la capacidad contemplativa. Con las imágenes, los pequeños sabrán «meterse» en el mundo sobrenatural y vivir con toda naturalidad esas presencias. No está por

[5] JOSÉ MARÍA CABODEVILLA, *Hombre y mujer*, BAC, Madrid 1962, pp. 443-4.

demás decir que esa paz de conciencia y esa capacidad de contemplar se verían enormemente dificultadas con la televisión encendida frente a sus camas.

¿Y qué hacer cuando presentan síntomas de terror nocturno? Porque ciertos niños llaman o lloran durante la noche... Habrá que consolarlos, acariciarlos, besarlos. Los niños llaman para asegurar y comprobar el cariño y la protección. Puede ser preciso incluso arrullarlos, acostar un osito, contarles un cuento, cantarles alguna canción de cuna hasta que se serenen. Pero si se pretende resolver el problema llevándolos a la cama de los padres, éstos perderán su intimidad, y los miedos y las inseguridades del niño permanecerán latentes.

Los niños deben hacer de su propia habitación una especie de proyección de su intimidad, en la que puedan tener su espacio personal y en ella ir desplegando su personalidad naciente. Si son de distinto sexo, deben dormir en camas separadas y, cuando son mayores, en habitaciones distintas. De no ser posible por razones de espacio, habrá que colocar biombos que proporcionen cierto aislamiento en cada sector de la habitación.

Como medida que ayudará a la austeridad, es oportuno que los colchones de sus camas no sean demasiado blandos. La cama dura –una tabla debajo de un colchón de pocos centímetros– fortalece no sólo la musculatura sino que también evita posiciones incorrectas que podrían ser peligrosas para cuando el niño alcance la pubertad.

Los medios antes indicados podrán aumentar la serenidad del niño para afrontar sin inquietudes la oscuridad de la noche. Pero sobre todo los ayudará ese último pensamiento y ese último sentimiento que mamá o papá supieron inculcarles cuando rezaron con ellos antes de meterlos en la cama. El amor de los padres es la primera y más incisiva manifestación del amor de Dios; el primer cauce para comprenderlo. En esa simbiosis de amor y cercanía descubrirán ellos el amor y la cercanía del Padre celestial, de Jesús y de María, de los ángeles y de los santos. Siendo los mismos padres signo del amor de Dios, sus pequeños sabrán que, aunque ellos se ausenten, Dios no lo hace nunca, y que pueden experimentar de modo vivo su Amor siempre presente. Y así, aunque no puedan ir a dormir al cuarto de papá y mamá, siempre podrán descansar en esa certeza y acurrucarse en el regazo de María.

¿POR QUÉ LOS NIÑOS PEQUEÑOS NO ADVIERTEN LA NECESIDAD DEL PUDOR?

El pudor se relaciona con cualquier aspecto de la interioridad humana. Referido al mundo de la afectividad, del amor y de la vida, se llama *pudor sexual*. En nuestro psiquismo surge de modo natural, y aparece la tendencia a ocultar o disimular ciertos valores propios, que no se desean perder o que se buscan conservar precisamente como lo que son: valores, riquezas, señales de la dignidad y la interioridad.

En este sentido, el pudor sexual viene a ser la natural tendencia a ocultar los valores sexuales. De ahí que tal fenómeno (el impudor) no se observe en los niños, para los cuales el campo de los valores sexuales no existe, porque todavía no les son accesibles. A medida que van adquiriendo conciencia de ellos aparece el pudor sexual, que no les resulta algo impuesto desde el exterior, sino más bien una necesidad interior de su personalidad naciente.

De modo que en su primera infancia no sienten ningún reparo al manifestarse desnudos, así como tampoco hay problema de que vean a sus hermanos o primos pequeños sin ropa. Alrededor de los seis o siete años tendrán un conocimiento cabal de sus cuerpos, y comenzarán a mostrar recato para exponer las partes íntimas del mismo.

Si ocasionalmente encuentran a uno de sus padres desnudo, deberán evitarse los gritos y aspavientos. Se invitará al niño a retirarse y se le ayudará a ello, sin dejarle la sensación de que ha hecho algo incorrecto. Pero eso no significa que se adopte el naturalismo –tal como defienden algunos autores– y que deban propiciarse los encuentros con los padres sin ropa, pues ello resulta atentatorio a su creciente intimidad y pudor natural, que deben estimularse y defenderse.

Cuando se despierte más la curiosidad del niño respecto a los órganos genitales, puede el padre –con el niño– y la madre –con la niña– establecer comparaciones con el reino animal, insistiendo al mismo tiempo en la enorme diferencia que nos separa de ellos al ser nosotros hijos de Dios. O podrá también mostrar a los niños las obras artísticas de la pintura y escultura universales que presentan figuras humanas desnudas, haciéndole ver la gran belleza en la obra de Dios que es el cuerpo humano. De este modo, al ser los padres quienes de modo recto y positivo enseñan la realidad de los órganos sexuales, se evitará la asociación con pensamientos morbosos y se disminuirán los riesgos que puedan provocar las imágenes eróticas que a diario aparecen en medios impresos o electrónicos.

Enseñarán también los padres la correcta actitud higiénica de los órganos genitales. Lo mismo que no resulta higiénico que un niño se quite los calcetines y se hurgue en público los pies, o se meta el dedo en la nariz o se orine en la cama (y todo eso acabe por convertirse en una manía), los padres han de estar pendientes de que los niños *no jueguen* con sus órganos genitales. A esa edad no tienen ni mejores ni peores consecuencias que las otras manipulaciones que hemos citado. Pero no son buenas costumbres y, si se adquiere esta, al despertarse la vida sexual en la pubertad puede llevarles a usar mal del sexo.

Por eso, sin darle más carácter de inconveniencia, ni menos, que a tocarse los pies o meterse el dedo en la nariz, se debe acostumbrar a los niños, desde pequeños, a esa higiene elemental de no tocarse esos órganos.

¿QUÉ HACER SI SE ADVIERTEN MANIFESTACIONES PRECOCES DE SEXUALIDAD?

Los padres deben proceder serenamente ante las manifestaciones sexuales de sus pequeños, sin manifestar sorpresa, desagrado o amenazas de castigo. Su reacción de tranquilidad transmitirá al niño un mensaje de aceptación relativo al sexo y a sí mismo. Por eso la madre especialmente debe estar llena de optimismo y alegría cuando limpia (o baña) al niño, lo viste o lo alimenta.

Es normal la curiosidad hacia las partes de su cuerpo y el descubrimiento de que la estimulación genital produce sensaciones placenteras. Los recién nacidos pueden tener erección, las recién nacidas pueden tener lubricación vaginal. Al cumplir un año de vida puede observarse que los bebés se estimulen sus genitales cuando están desnudos o se bañan. Pero los infantes no son conscientes de su sexualidad, ni de la sexualidad de otros. Pueden experimentar placer, pero no tienen pensamientos o sentimientos que se relacionen con la sexualidad.

Conforme avanzan en edad, suelen aparecer ciertos *juegos sexuales* entre niños, es decir, toques, roces e incluso esbozos de relaciones (jugar «al doctor y a la enfermera», «al papá y la mamá», por ejemplo). Es importante de nuevo la serenidad de los padres, ya que sus hijos no tienen aún conciencia de lo libidinoso de tales juegos y devaneos. Su actitud debe ser serena. Naturalmente deben educarlos dentro de las pautas socialmente aceptables (por ejemplo, decirles que no deben jugar en público con sus genitales), pero en ningún momento decirles que esas partes son sucias o malas, o castigarlos por esos juegos. Podrán estar atentos para desviar su atención a otros entretenimientos, de modo que no hagan hábitos. Si las reacciones de los padres son serenas y positivas, se facilitará el desarrollo de los niños; de lo contrario, aumentará la probabilidad de fijaciones sexuales y más tarde de disfunciones sexuales.

Esa misma actitud positiva y serena deben mostrar las maestras de Kínder. Dijimos que los pequeños no comprenden el sentido libidinoso de los juegos sexuales o de las bromas que ellos mismos realizan. A veces se ríen de ellas, pero eso lo hacen para disimular su ignorancia.

> *"La sexualidad infantil tiene características que le son propias. Los órganos sexuales están poco desarrollados. Las hormonas sexuales tienen bajos niveles en la sangre. Esto, entre otras influencias, hace que la pulsión sexual sea menos específica y vigorosa durante la infancia.*
>
> *Los estímulos externos que tienen para la persona adulta un significado erótico, no son objeto de atracción sexual durante la infancia o, al menos, no lo son de forma tan clara y consistente. Las actividades sexuales infantiles tienen motivaciones distintas a las adultas. En la mayor parte de los casos, lo que los niños y las niñas pretenden es imitar a las personas adultas o explorar su propio cuerpo y el de los demás. Así se explican, probablemente, la mayor parte de los juegos sexuales infan-*

tiles y también numerosas conductas de autoestimulación e incluso ensayos de penetración"[6].

Sin embargo, puede darse el caso de niños con actitudes desviadas y obsesivas. No está claro que las conductas sexuales desordenadas aparezcan por fallas hormonales o de funcionamiento orgánico: el origen hay que buscarlo más bien en factores familiares, la carencia de afecto, el maltrato físico o los malos ejemplos. Por ello, la solución se encontrará en su causa: reenfocando adecuadamente la vida afectiva. La intimidad del niño con sus padres, especialmente con su madre, es importantísima. Es también clave el modelo de amor de los padres entre sí, pues eso será percibido en el interior del niño. Padres que se rechazan comunican al niño miedo y rechazo; padres que se aceptan comunican intimidad, amor y respeto. Gran parte del adecuado desarrollo afectivo posterior dependerá del ambiente en el que viva el niño esos primeros años.

Sin embargo, si aún luego de haber descartado las razones afectivas inadecuadas, el niño persiste en tocamientos genitales o la masturbación, la solución puede buscarse en causas físicas de orden general o local que puedan irritar o molestar al niño.

[6] FÉLIX LÓPEZ, *Para comprender la sexualidad,* Verbo divino, Estella (Navarra) 1993, p. 47.

CASO: CRISTINA[7].

"Cristina tiene cuatro años. Su madre, después de cenar, la deja tranquila en su cama para que se duerma. Hace ya un mes escuchó unos sonidos extraños. Al asomarse al dormitorio vio a Cristina frotando sus genitales con un osito grande de peluche que adorna su cuarto. Estaba colorada, sudaba y jadeaba de placer. Una verdadera respuesta sexual. Turbada, la madre se apartó de la puerta, pero ahora todas las noches ve que sucede la misma escena.

¿Qué hacer?
¿Cómo reaccionar para ayudar a la niña?

Lo primero ante una caricia genital compulsiva en un niño es descartar que haya una causa física que provoque el comportamiento.

En el caso de las niñas es necesario aprovechar el baño para revisar la vulva. En ocasiones, sobre todo en las niñas «más rellenitas» que tienen los labios mayores más carnosos, si no se separan correctamente para realizar una higiene adecuada, se pueden producir eczemas, que a la madre o al padre le han pasado desapercibidos. Por el día, al estar la niña más entretenida, nota menos el picor, pero, al acostarse y quedarse tranquila, lo percibe con mayor intensidad y se

[7] NIEVES GONZÁLEZ RICO, *Hablemos de sexo con nuestros hijos*, Palabra, Madrid 2008, pp. 92-4.

frota. «Comer y rascar, solo es empezar». Si hay irritación, hay que llevarla al pediatra para que reciba el tratamiento apropiado.

En los niños, puede suceder cuando a las madres les da reparo retirar hacia atrás el prepucio (piel que cubre la parte final del pene) para dejar el glande al descubierto y realizar una correcta limpieza de la zona genital. –*¡A ver si le voy a hacer daño!* Pide a tu pediatra que te explique cómo hacerlo y ten un poco de decisión.

Si descartamos que exista una causa física (inflamaciones o infecciones), podemos trabajar lo psicológico y relacional. Es importante comprobar, en primer lugar, si la conducta sucede siempre en la misma situación. Modificarlo, entonces, es lo más sencillo.

La mamá y el papá han de introducir cambios. No se puede quitar a la niña una satisfacción o una compensación sin ofrecer algo mejor. Y lo mejor es siempre vuestra atención. Al acostarla puedes ofrecerle leer un cuento y hacerle compañía después hasta que se duerma. Si ves que lo hace tranquila, pasados unos días puedes retirar de la habitación el osito (se ha lavado y se ha estropeado o se lo han llevado los Reyes y te han dejado en su lugar unos cuadernos de pintar preciosos). Cuando ya lleve varias noches tranquila, puedes ir reduciendo tu presencia: el cuento y diez minutos, el cuento y cinco minutos, el cuento, un beso y a dormir. ¡Observa!

Si no progresa, debes consultar a un especialista. Este tipo de conducta es, generalmente, un síntoma de ansiedad y lo importante es saber de dónde viene. ¿Son dificultades en el colegio? ¿Son celos de algún hermano? Si se trabaja el origen, el síntoma irá desapareciendo. Es un signo de inteligencia saber pedir ayuda a tiempo. Pero esta persona (psicólogo/a infantil o sexólogo/a) no se debe buscar abriendo las páginas de una guía telefónica. Infórmate. Ha de ser un buen profesional con una visión integradora de la sexualidad humana".

¿Y CUANDO LOS NIÑOS O LAS NIÑAS ESTÁN «ADELANTADOS» RESPECTO A SU EDAD?

Dicen los expertos que la infancia de los niños del tercer milenio es dos o tres años más corta de lo que fue la infancia de los niños del siglo XX. Fenómeno curioso que, sin embargo, no deja de ser inquietante. El desarrollo tecnológico y el *boom* de los medios de comunicación hacen aparecer, ya desde muy temprana edad, modelos que antes se antojaban imitables sólo luego de haber alcanzado el desarrollo sexual, es decir, luego de la adolescencia ya bien entrada. Las niñas, por ejemplo, ya no quieren jugar con plastilina o andar en bici, lo que quieren es bailar o vestirse como la actriz de moda, o tener el pelo o la figura de tal cantante o modelo.

Los expertos dicen también que la alimentación actual y la obesidad infantil adelantan la pubertad, de modo que hoy las niñas y los niños se desarrollan antes. Pero no se trata sólo de eso. Hay padres de familia que hacen todo lo posible para que su niña de seis años llegue a tiempo para tomar parte en un concurso de belleza en el que las participantes son maquilladas, peinadas y «siliconadas».

El fenómeno no se limita a las niñas, los niños también reclaman su acceso precoz a la feria de vanidades: uno pide que le hagan mechas rubias, otro quiere un arete en la oreja, y hay niños que reclaman un *piercing* o un tatuaje. Los problemas que originarían estas actitudes pueden agruparse en dos:

1) Esta presión social «roba» materialmente a los niños una etapa fundamental en la vida: la niñez.
2) Pero el problema mayor reside en la erotización de la infancia, lo que eleva el riesgo de sufrir alteraciones de conducta, enamoramientos frustrados y, por supuesto, incapacidad para comprender los modelos realmente dignos de ser emulados. La sexualidad precoz eclipsa diversos aspectos importantes de la personalidad y se convierte en el único criterio para juzgar a alguien.

En las distintas culturas –piénsese, por ejemplo, en el Bar-Mitzva de los judíos, o en las pruebas que han de superar los adolescentes en las culturas africanas– se señalaba con claridad la frontera de la edad infantil. Los niños de hoy tienen dificultades para ver cómo poco a poco se disuelve la etapa feliz de la infancia para convertirse en adolescencia: ahora el cambio se presenta con desfase. Quizá una primera actitud deseable en los padres es que no se manifestaran encantados de que sus niños y sus niñas sean tan precoces, y menos que les fomenten esa actitud. Sería mucho más deseable que los ayudaran a vivir y disfrutar de su infancia un poco más, y que les hicieran ver que ya tendrán tiempo suficiente de comprarse lápiz de labios o zapatos de tacón. Y, sobre todo, que también llegará el momento oportuno de enamorarse y, por supuesto, de llorar y sufrir por amor. Ayudarlos, en definitiva, a que nada ni nadie les robe su infancia porque, sin ninguna duda, es la etapa más feliz de la vida.

¿CÓMO AFIANZAR A LOS NIÑOS EN SU SEXO?

Entre los dos y tres años, el niño se da perfecta cuenta de cuál es su sexo. Sabe que es varón o mujer: advierte las diferencias en el modo de vestir, en el corte de pelo, emplea sin confusión los pronombres personales él-ella; ellos-ellas.

Sin embargo, es necesario educar a los niños *afianzándolos* en su sexo. Y educar es dar ejemplo. Los niños aprenderán a ser varones observando al papá, y las niñas aprenden a ser mujeres imitando a la mamá.

El papá, por ser varón, ha de reflejar las cualidades más típicamente masculinas: un mayor nivel de acometividad, dominancia y motivación de logro; mayor capacidad para afrontar los retos. Será fuerte, justo, emprendedor, con sentido de conquista y aventura. Sabrá preparar al hijo para que afronte las dificultades de la vida. Lo escuchará y acompañará, participando activamente con su mujer en la educación.

La mamá, como mujer, tiene una dotación mayor en lo referente al conocimiento intuitivo, que le permite hacerse cargo con facilidad y de inmediato de personas y situaciones. En ella no tiene primacía el discurso racional sino el conocimiento por el corazón: *sintiendo lo que siente el otro.* Y eso la hace centro de la unión familiar, el cobijo para todos, la que transforma las paredes de la casa en verdadero hogar. En ella se manifiestan más las virtudes de ternura, abnegación, renunciamiento y amor y orgullo por la familia.

Con ejemplos claros de masculinidad y feminidad, los hijos se afianzan en su sexo, en el que se sienten felices y seguros, sin que la niña prefiera ser, consciente o inconscientemente, varón como el papá; o el niño, mujer como la mamá. Un papá sumiso y una mamá dominante originarán varones débiles, dependientes de la mamá o de su futura mujer. Sus hijas serán "mandonas" feministas (no femeninas), despreciadoras de los hombres y llegarán a ser esposas dominantes. Lo inverso sucede con un papá autoritario y una mamá sojuzgada. Es lo que se llama *inversión de roles.*

Está claro que ese equilibrio dependerá de los caracteres de uno y otro, pero también está claro que cada uno de los progenitores deberá buscar la proyección de una imagen adecuada, que refleje la verdad sobre la masculinidad y la feminidad. Si se da esa armonía, habrá armonía en la personalidad del hijo.

De los dos a los seis años los niños han de lograr su identificación con el progenitor del mismo sexo. Es importante ayudarlos a recorrer esta etapa. La mamá podrá decirle al hijo varón cosas como éstas: *Vamos a caminar rápido, como camina papá... come verduras, como hace papá.* El papá podrá decir a la niña: *Cambia el vestido a tu muñeca, como hace mamá... con esa cinta en tu pelo estás tan guapa como mamá.*

Contribuye a afianzar al niño en su respectivo sexo el vestirlos como corresponde, hacerles cortes de pelo masculinos –o femeninos, según el caso–, proporcionarles los juguetes adecuados (muñecas y casitas para las niñas; coches, balones, herramientas para los varones).

Ahora bien, ¿qué ocurre si alguno de los padres falta definitivamente en el hogar? Si se trata del papá, es recomendable invitar frecuentemente a familiares varones (tíos, cuñados), pues de esa manera los hijos tienen posibilidad de conocer ese sexo y de identificarse con él. Si el papá ha muerto, pueden intentarse recursos como el de aquella señora que, cuando enviudó –su hijo varón aún estaba pequeño–, decidió poner fotografías del papá por toda la casa, y hablaba frecuentemente de él. Logró de este modo que la figura paterna y masculina no fuera ajena al hogar.

Cuando la que falta es la mamá, el problema de identificación no se presenta acuciante, pues generalmente los niños están rodeados de mujeres: abuelas, tías, cuidadoras, maestras, etcétera.

CASO.- MARCELA Y RUBÉN

Marcela se está arreglando en su baño para salir al cine con su esposo. Está en plena operación de maquillaje mientras su hijo, Rubén, la observa encantado. Unta en un estuche y luego sus ojos aparecen sombreados. Toma un lápiz y se hace una raya con cuidado. Por fin, Rubén se anima y le pregunta:

–Mamá, ¿puedo pintarme yo también?

Marcela se desconcierta. Ella no ha tenido la niña que deseó, porque sus dos hijos son varones. Sabe que no hará rizos en ninguna cabellera, ni comprará vestiditos, ni tampoco enseñará a «pintarse» a nadie.

«*¿Por qué no?* –se pregunta Marcela–. *¿Qué tiene de malo? Total, para el niño no es sino un juego*».

Nosotros podremos preguntarnos: ¿Tiene razón Marcela? ¿Será intrascendente lo que plantea el niño? Es cierto que puede resultar intrascendente que se pinte. Pero lo que no es banal es el modo en que la madre acompañe ese momento.

La particular intuición de los niños sabe detectar las expectativas de sus padres y sus deseos más inconscientes. Si Rubén, al maquillarse, lee en los ojos de su madre ese anhelo guardado en lo más hondo de su corazón –¡una niña!–, quizá le pida otro día repetir la experiencia. Y luego, posiblemente intente pintarse las uñas, o usar la pulsera que mamá lleva en su muñeca, o los tacones con los que hace ruido al caminar. Entonces al niño puede desdibujársele su identidad sexual en años donde existe una gran fragilidad.

Marcela no ha de ser complaciente, aunque tampoco debe reaccionar de modo brusco, reprimiendo violentamente un interés que en sí mismo no es erróneo. Eso podría ocasionar al niño una cierta confusión mental (*¿Por qué es tan malo lo que acabo de pedir?*). Una salida oportuna y clarificadora sería la siguiente:

–Mira, Rubén, vamos a hacer una cosa que es mucho, pero mucho más divertida. Ven, acércate.

Marcela toma el bote de espuma de afeitar de su marido. Unta con jabón la cara del niño y, aprovechando el dorso de un peine, comienza a "rasurarlo".

–¿Qué te parece? Así hace papá cada mañana, para cortarse la barba. Ahora estamos ensayando lo que tú harás cuando seas grande. Así que, cuando llegue papá, le contarás que tú estás muy contento porque ya eres grande, porque te rasuraste la barba.

Con su propuesta, Marcela no deja traslucir su secreto anhelo. El bien del niño prevalece sobre su inclinación, y lo ayuda a identificarse con el modelo masculino que ha de ser un referente para él. Le hace aceptar su propia realidad corporal, proyectándolo al futuro.

¿SE PUEDE PREVENIR UNA POSIBLE HOMOSEXUALIDAD DE LOS NIÑOS?

Sí, y enfrentar directamente una posible pre-homosexualidad es tarea prioritaria de los padres. Ya desde muy temprana edad –dijimos que entre los dos y tres años– el niño descubre que el mundo está dividido en dos opuestos naturales, niños y niñas, varones y mujeres. Pero no sólo observa la diferencia, sino que también debe decidir dónde encaja él (o ella) en ese mundo dividido en géneros.

Las niñas tienen la tarea más sencilla, ya que el primer apego de los infantes es a la madre. Ellas no necesitan pasar por el esfuerzo adicional de *des-identificarse* con la persona más cercana para *identificarse* con el padre. Para el niño varón las cosas son distintas: él *debe* separarse de la mamá, lograr diferenciarse de su primer objeto de amor, para poder llegar a ser un varón afirmado en su género [8].

Una mujer *es*, pero un varón *debe llegar a serlo*. Lo primero en el asunto de ser varón es no ser mujer. La masculinidad es riesgosa y elusiva, se logra luego de un desprendimiento y se confirma sólo por otros varones, que aceptan al neófito como

[8] Lo anterior podría ser una de las razones que explique por qué hay menos mujeres homosexuales que varones homosexuales. Algunos estudios reportan una proporción de cinco a uno, e incluso de diez a uno. Aunque no sepamos con exactitud las cifras, lo cierto es que hay mucho menos lesbianas que homosexuales varones.

uno de ellos [9]. En lo más profundo de la condición homosexual hay un conflicto de género producido en la infancia. El adulto homosexual se veía, por lo general, como un niño diferente a los demás niños. Existía en él un miedo secreto, del que no hablaba, y que sus padres y seres queridos tan sólo intuían vagamente. Los padres no deben dejar que pase adelante esa vaga sospecha sin actuar con determinación.

El papá juega un rol determinante en el desarrollo normal de un niño como varón. Para el desarrollo de la identidad de género, el papá es más importante que la mamá: su intervención debe conducir al encuentro del niño con su sexo. Los adultos homosexuales aún están en la búsqueda del sentido masculino de sí mismos que debió haberse establecido en la infancia. El papá necesita reflejar y afirmar la virilidad del hijo. Un alto porcentaje de homosexuales varones refiere una relación débil con su padre en los años infantiles. Esa relación débil es interpretada por ellos como una especie de rechazo personal.

Los terapeutas recomiendan a los padres varones la aplicación de las tres *"a"* a sus niños: afecto, atención y aprobación:

[9] Las culturas primitivas muestran un entendimiento intuitivo: los niños necesitan ayudas especiales para motivarlos a lograr su identidad masculina. Los adolescentes pasan por una serie de duras pruebas que les permiten ingresar al mundo de los varones adultos. Si fueron capaces de superarlas, ya son hombres: no jugarán junto a la hoguera de mamá, acompañados por las abuelas y hermanas. Ahora, en lugar de eso, saldrán a cazar y a pescar con los demás varones adultos.

afecto,

específicamente *afecto masculino.* El niño ha experimentado muchas veces el cariño femenino en la figura y el trato con su madre (y con frecuencia también en el de la abuela, las tías, las nanas o las hermanas mayores). Se ha sentido acogido y cálidamente envuelto en la blandura de los brazos femeninos. Ahora necesita sentirse envuelto entre unos brazos fuertes que lo afiancen en la seguridad para afrontar las dificultades de la vida. Si no sintió en su infancia ese abrazo masculino, es posible que lo busque después;

atención,

algunos papás se las arreglan para estar metidos en todo, excepto en la atención a sus hijos. Tienen tiempo para progresar profesionalmente, ascender en la escala económica o social, fomentar un hobby o viajar, pero no aciertan a encontrar el modo de conversar serenamente con sus hijos o hacer actividades conjuntas. No saben que ese hijo en particular interpreta su ausencia como un rechazo hacia él;

aprobación,

es al papá a quien corresponde afirmar la virilidad de su hijo, dándole confianza en sí mismo. Puede jugar de manera más ruda y tosca con él, ayudándole, por ejemplo, a que aprenda a lanzar y atrapar una pelota, o a patear un balón. Debe ayudarlo a que sus progresos en la virilidad *lo hagan apto para competir con chicos de su edad y ser aceptado por ellos.* Un alto porcentaje de homosexuales varones tuvieron en su infancia una baja autoestima en lo físico, experimentando un rechazo a su cuerpo y a sus posibilidades de aceptación. Es el padre, por tanto, el primer varón que debe integrarlo al mundo varonil.

Cuando el niño no recibe lo que necesita –las tres «*aes*» anteriores–, interpreta la conducta del padre como una falta de interés personal. Siente una profunda y dolorosa afrenta de su percepción personal sobre sí mismo, estableciendo una especie de defensa inconsciente: «Si él no me quiere, entonces yo tampoco lo quiero». Se está rindiendo en su lucha por la masculinidad. Y si a eso se agrega un posible rechazo de otros niños, el niño confundido se sume más en su soledad y en su sentimiento de ser diferente [10].

Pero la madre también puede colaborar –inconscientemente, por supuesto– a la homosexualidad del niño. Puede existir en ella la tendencia a prolongar la dependencia del infante. La intimidad de una madre con su hijo es innata, completa y exclusiva, una suerte de «simbiosis feliz». Pero puede

[10] Exactamente el proceso inverso se observa en los niños que afirman su género: mientras se consolida su masculinidad, se vuelven muy rígidos en cuanto a la admisión de niñas en su grupo de amistades. Lo mismo para las niñas: no suelen tener ningún interés por amistades masculinas. Esto no es sexismo: es parte del proceso normal y saludable de identificación de género. Para ello necesitan rodearse de amigos cercanos de su mismo sexo: sólo así establecen firmemente su recién adquirido sentido de «ser niño» o «ser niña». Este es un prerrequisito importante para que más tarde, en la adolescencia, puedan relacionarse adecuadamente con el sexo opuesto. Y entonces se produce el giro: el niño desarrollado normalmente comienza a sentirse atraído por las niñas, que ya no son insoportables o tontas, sino que ahora aparecen mucho más interesantes e incluso románticamente misteriosas.

ocurrir que ella –especialmente si no tiene una relación afectiva satisfactoria con el padre del niño– utilice a éste para satisfacer sus necesidades de amor y compañía en una forma que puede ser muy perjudicial para el pequeño. Se vuelve entonces sobreprotectora, interviniendo en las «agresiones» y competencias que son tan normales en los juegos rudos entre niños pequeños. A los ojos de los demás niños, los hijos de las mamás que se entrometen quedan marcados como «maricones», y tienden a ser especialmente rudos con ellos. La tendencia de los niños con problema de identificación de género a ser cautelosos y no agresivos, a no participar en deportes de equipo, es una constante universal.

No es que los modelos anteriormente expuestos sean los únicos casos que pueden propiciar una tendencia homosexual en la infancia. Es posible que surja por otros patrones. Por ejemplo, cuando el papá está *demasiado presente*, es decir, su presencia es extremadamente varonil, demasiado fuerte. El chico, que quizá presente una caracterología más artística, más sensible, al observar la masculinidad de su papá, es posible que se sienta abrumado, como imposibilitado para alcanzarla. Aparece entonces en él un sentimiento de impotencia y, sabedor de su incapacidad, buscará la identificación con el otro modelo, con el que se identifica más: la madre. Vuelve entonces a aparecer esa herida psicológica que irá dejando una profunda cicatriz, aparentemente irreversible.

Ambos, papá y mamá, han de esforzarse por amar a cada hijo y a cada hija por lo que son, sin volcar en ellos sus propias pretensiones ni ambiciones desmedidas. Si confunden la realidad propia de cada uno con "lo que les gustarían que hubieran sido", existe el riesgo de la desidentificación sexual en los pequeños.

En cualquiera de los casos descritos –o en otros posibles–, no cabe duda que la conformación de las exigencias laborales de la época actual dificultan la adecuada comprensión de los roles materno y paterno, femenino y masculino. Según diversos autores, la falta de presencia en el hogar de la madre –a veces tomando el rol protagonista en lo económico o profesional, propiciando la inversión de roles– constituye un importante factor en el aumento de la homosexualidad contemporánea.

Papá y mamá han de ser, por tanto, objetivos y sinceros, previniendo el posible daño psicológico del niño. Ambos deben esforzarse por romper el lazo madre-hijo, conveniente en la primera infancia, pero no para después. El padre tiene que ser un modelo atractivo a la vez que asequible, demostrando que su hijo puede mantener un trato cariñoso con mamá, pero manteniendo su sana autonomía.

Todo niño varón tiene un profundo anhelo de ser sostenido y amado por una figura paterna, de ser conducido al mundo de los varones, de que se le reafirme su naturaleza masculina. El camino hacia la virilidad es largo y difícil. Si en algún punto el esfuerzo le parece imposible y siente muy dolorosos los fracasos, entonces el niño decide salirse, tomar un atajo –un atajo falso– y cae entonces en el abismo de la homosexualidad. Los padres deben saber que, para esta delicada tarea que tantas consecuencias puede traer en el futuro, cuentan siempre con la gracia sacramental que recibieron el día de su boda, y con la gracia de estado que supone el inmenso don que Dios les dio al hacerlos padres.

CASO.– RODRIGO

Mónica está preocupada porque Rodrigo, su hijo de siete años, no tiene amigos. En la escuela siempre está con las niñas, prefiere sus juegos y de día y día se comporta y habla más como ellas. Sus compañeros de clase lo insultan con frecuencia y él llora mucho.

En casa la situación tampoco es fácil. El papá se pone muy nervioso con el niño. La situación lo saca de quicio y lo agrede verbalmente: «¡No hables como maricón!»; «¡Camina como hombre, no como nena!»; «¡Te prohíbo que juegues a la casita!».

Mónica sufre mucho y su forma de reaccionar ante el dolor del pequeño es acercarse más a él, abrazarlo y besarlo, protegerlo. Con ella y las niñas, Rodrigo está feliz.

¿Están a tiempo los padres de encausar la identidad masculina de Rodrigo? ¿Qué medios deben poner?

Ante una situación de este tipo es conveniente que los padres consulten a un especialista: psicólogo o psiquiatra infantil, o sexólogo, de recta orientación. Junto a esa medida, en la dinámica familiar son también muchos los medios que deben poner:

1º: Reforzar lo más posible la relación de Rodrigo con niños varones de su misma edad. Los padres buscarán en esto ser creativos: invitar a comer o a pasar la tarde a algún primo, vecino o compañero de clase de su edad que no sea especialmente hostil, con el que pueda haber alguna esperanza de que surja una amistad. Si ésta se consigue, es importante lograr la permanencia. Teniendo un amigo, es bastante más fácil que luego pueda tener otros.

2º: Inscribirlo en alguna actividad donde el contacto con otros niños se vea favorecido. Lo mejor sería alguna actividad deportiva *de equipo*: futbol, basquetbol, campismo, etc. Como será difícil que este tipo de aficiones le resulten naturales al niño, convendrá hablar sinceramente con los monitores para pedirles ayuda y para que trabajen en consonancia con la necesidad de los padres y el bien del niño. No suelen ser buenas alternativas los deportes individuales, como natación, clavados, tenis, gimnasio, etc., ya que podrían favorecerle el aislamiento e incrementar un posible narcicismo.

3º: El papá –o los parientes y conocidos– han de evitar las actitudes agresivas con el niño cuando éste tenga expresiones femeninas. Bastará con ignorarlas y reforzar aquellas propias del ser varón. Por ejemplo, si al hablar lo hace con tonos y gestos afeminados, bastará decirle: "Mira, Rodrigo, te ves mejor cuando no haces *este* gesto –y se le ejemplifica–

porque entonces puedo concentrarme mejor en lo que estás diciendo".

4º: En el interior del padre se producirán una serie de sentimientos y preocupaciones que pueden llegar a bloquearlo e impedirle que asuma su papel propio, que es prioritario. Esa confusión interior ha de salir al exterior, y compartirla con su esposa y con el profesional que hayan buscado.

5º: Habrá que determinar si existe (sobre todo al inicio de las manifestaciones) algún factor externo que orille al niño a tener esas actitudes. Puede ser, por ejemplo, que sienta celos por una hermana más pequeña, a la que papá y mamá dedican particular atención. No es infrecuente entonces que adquieran conductas de imitación con el deseo inconsciente de obtener la mirada y la admiración de los padres, que sienten que a él no le llega: «Si me parezco a mi hermana, me harán más caso».

6º: Si el ambiente escolar se ha ido volviendo más y más hostil, los padres valorarán un cambio de colegio. En caso afirmativo, buscarán los medios para que desde el principio se evite la repetición de los parámetros que se dieron en la escuela anterior.

7º: Por último, cada uno de los padres buscará cambiar su modo de relacionarse con el niño que hasta entonces mantenían. La esperanza del niño pasa por reforzar todo lo posible la relación con papá. Es muy frecuente que su mecanismo de defensa haya consistido en tomar distancia al sentir el rechazo o la lejanía paterna. Ha de ser éste quien se acerque, ayudándolo en las tareas escolares, sentándose a su lado para ver televisión, llevarlo a andar en bicicleta los domingos por la mañana, dándole el beso de buenas noches y rezando con él. En definitiva, dedicándole ratos exclusivos que hagan que el niño se sienta preferido y amado.

La madre ha de tomar distancia. También ella ha elegido el camino inadecuado: la sobreprotección. Ha decidido eso al comprobar que el papá no asumía su papel. Sin embargo, en ocasiones los papás varones se alejan de los niños porque la mamá ocupa ella sola el espacio que les corresponde a ambos. La maternidad encuentra su verdadera dimensión cuando realiza el bien del hijo, y no cuando puede ser pretexto para la propia compensación afectiva.

¿CÓMO SE FORMA LA «HERIDA» DEL NIÑO QUE NO SE IDENTIFICA CON SU GÉNERO?

Dijimos que el origen de la homosexualidad es multicausal. El desarrollo adecuado de la identidad sexual depende básicamente de aspectos biológicos (hay dos sexos biológicos con sus correspondientes determinantes), pero también sicológicos, culturales y sociales. La homosexualidad puede considerarse como el bloqueo del desarrollo ordinario de la identidad sexual que, por motivos a veces completamente desconocidos, se produce. Sin embargo, aunque en ocasiones la razón permanezca desconocida, en muchos casos el factor decisivo son las dinámicas familiares.

Efectivamente, es posible observar a un niño que vive aparentemente desapegado de su padre, mientras lo que realmente anhela es un deseo de cercanía afectiva, amorosa, cálida; del abrazo paternal que nunca tuvo. Ese niño acaba por desarrollar una admiración hacia varones mayores, inicialmente sin connotaciones sexuales y desde cierto distanciamiento, siempre con la añoranza de la cercanía y afirmación paternas.

Aparece luego una segunda fase, que se caracteriza por la confusión en la identidad personal; un sucederse de dudas, vacilaciones, sospechas... percibe la aparición de las primeras «sensaciones homoeróticas», experimentando «atracción por alguien de su mismo sexo». Sin embargo, lo más probable es que tal atracción no sea propiamente sexual, ya que se trata tan sólo del deseo de poseer algunas características que ese individuo tiene y que él percibe como carencias personales. Esas características pueden hacerlo sentir «menos varón» o, en su caso, «menos mujer» que sus iguales. Muchas personas con sentimientos homosexuales hacen, por ello, la siguiente afirmación: «me atraen los hombres (o las mujeres) desde que tengo uso de razón», y esto los hace afirmar: «he nacido así».

Cuando llega la pubertad y se despierta el impulso sexual, se combinan las añoranzas infantiles de cercanía masculina (o femenina) con la aparición de la libido, y se produce entonces la atracción sexual de tipo homosexual.

Suele venir luego un largo período de fuerte lucha interior para aceptarse o no como homosexual. Si la conducta deriva en acciones promiscuas –experiencias sexuales de tipo homosexual– la tendencia se acentúa. Esas primeras actividades homosexuales darán al joven una sensación de que se calma su deseo íntimo de afecto y cercanía masculina (o femenina, en su caso). Aunque este tipo de relaciones promiscuas pueda suponerle un cierto grado de conflicto interior (la conciencia, que es la voz de Dios, le reclama), al mismo tiempo le llama poderosamente la atención que se produzca un sosiego de sus deseos añorados, que van más allá del placer sexual, aunque sea de manera momentánea. Esta sensación acaba reforzando su necesidad de tener más experiencias parecidas y, aunque –como dijimos– puedan suponer para él un conflicto interno, se siente, por otra parte, fuertemente inclinado a repetirlas. Cuanto más se abandona a este tipo de relación sexual, más intenso se torna el refuerzo, y aumenta la probabilidad de que las repita. Sin embargo, se acompañan, a menudo, de una sensación de recibir cada vez menos de dichas relaciones homosexuales.

Finalmente, se produce el compromiso con la actividad homosexual. De serlo *psicológicamente* acaba siéndolo también *sociológicamente,* aceptando el estilo de vida y la «cultura» lésbico-gay.

Volviendo a la pregunta inicial –cómo se forma la herida en el niño–, citamos a Richard Cohen, el cual afirma que "en gran número de casos, el homoerotismo nace como reacción ante «un dolor», algo que afecta a la autoestima de varón o de mujer de un sujeto"[11]. Por su parte, el padre Manuel Iceta,

[11] RICHARD COHEN, *Comprender y sanar la homosexualidad,* Libros Libres, Madrid 2004, p. 82.

sacerdote marianista y experto en temas de familia, habla de la «herida del amor». Describe así el proceso que la ocasiona [12]:

1º Cuando el niño advierte insatisfecha su necesidad de ser amado, debido a un hecho concreto o a la reiteración de actitudes, esa carencia le produce un gran dolor.

2º Ese dolor le resulta tan grande que el niño, para suprimirlo o al menos mitigarlo, se protege. Para ello provoca (no conscientemente) una escisión en su ser, una ruptura. Esta escisión es la herida. Quiere olvidar su verdadera necesidad para hacerla desaparecer de esa manera.

3º Esa necesidad queda enterrada. Desde ahí empieza a ejercer su influencia y el niño empieza a vivir en tensión, con una angustia que lo impulsa a defenderse y a disimular.

4º Esas defensas que asume para protegerse empiezan a construir su otro yo, su irrealidad. Así se convierte en un ser tímido e introvertido, o bien se vuelve agresivo, despótico. Busca constantemente llamar la atención, o manifiesta una sed infinita de alabanzas.

5º El niño insatisfecho substituye sus verdaderas necesidades por otras simbólicas, en las que él cree poder satisfacerse. Esas satisfacciones sucedáneas se van convirtiendo en una dependencia: cristalizan en actitudes que el niño, y luego el

[12] Cfr. MANUEL ICETA, *Amor, ¿tú quién eres?*, PPC, Madrid 1996, pp. 29-35.

adolescente y finalmente el hombre ya maduro, se empeña en hacer, aunque sabe que no debería hacer: una insaciable búsqueda de placer sexual, un proceso destructivo por el juego, la bebida, la droga, el tabaco, una dependencia ciega de determinada persona, una desmesurada búsqueda de dinero, de poder, de influencias, ensoñaciones irreales y persistentes, un ceder a la pasividad y a la indolencia... Todo eso responde a necesidades no reales, tales como ser admirado, ser alabado, ser acariciado, ser único, ser un salvador, ser valorado, llamar la atención, demostrar que se es más que los otros, que se puede más que los otros.

Ese comportamiento se perpetúa a sí mismo porque las necesidades simbólicas no cubren las necesidades reales, que se resumen en último término en una necesidad de amor.

Ese podría ser un modo de explicar el proceso de formación de las heridas. Pero, ¿cómo curarlas?

Lo primero es aprender a reconocer la herida. La orientación homosexual es «un síntoma», y si se ayuda a esa persona a identificar dicho dolor y a superarlo, hay posibilidades de que desaparezca esa orientación. El primer paso, pues, es clasificar aquello, abrir los ojos y aceptar el diagnóstico. Dar un nombre a las cosas es ya un gran paso para solucionarlas. Sirve también para comprobar que *no está herida toda la afectividad del niño*; sólo una parte. Localizarla ayuda a no generalizar y a no dramatizar.

Lo segundo es no empeñarse en buscar «al culpable». No se trata de buscar culpables, sino de encontrar soluciones. Lo que provocó la herida pertenece al pasado. Además, muchas veces el principal daño en esa herida lo ha causado la propia vulnerabilidad del pequeño, su extremada sensibilidad.

Tercero, para cambiar no se necesita tanto fuerza de voluntad cuanto un motivo para hacerlo. El motivo será muchas veces la esperanza en la Providencia de Dios, que sabe sacar grandes bienes de los males. Si el educando confunde las heridas con los pecados, se sentirá culpable por ellas y posiblemente no quiera ni reconocerlas ni por consiguiente solucionarlas.

CASO: ANA

Ana era una joven alegre, simpática, que le gustaba disfrutar sanamente de la vida. Estudió la Normal Superior y allí conoció a Sonia, que desde entonces fue su mejor amiga.

Su profesión la llenaba profundamente, ideal que compartía con Sonia. A los 23 años conoció a Serapio, un joven excepcional, con el que se casó luego de dos años de noviazgo. Un año y medio después, cuando Ana estaba en el sexto mes de gestación de su primer hijo, Serapio murió en un accidente automovilístico. Al enterarse de lo ocurrido, ella cayó en una profunda crisis nerviosa que le impidió acudir al funeral de su marido.

Ana se trasladó a vivir con sus papás y, cuando el embarazo llegó a término, dio a luz un hermoso niño que bautizó con el nombre de Carlos. Poco después se incorporó al trabajo, que la distraía de su enorme tristeza. Aunque aparentaba serenidad, nunca superó realmente la muerte de Serapio: no se volvió a casar y se dedicó en cuerpo y alma a su profesión. Sólo veía por las noches a Carlitos, y la abuela asumió la educación del niño.

El padre de Ana era un militar importante; hombre trabajador, leal y de convicciones. Educó a sus hijos rigurosamente; su lema era: "Primero la disciplina". Tuvo tres hijos; Ana era la mayor. Al segundo lo asesinaron como venganza por el trabajo que desarrollaba el militar. Su esposa era una mujer buena, sumisa, de fe, que acataba al pie de la letra todas las órdenes de su marido.

Cuando al papá de Ana le detectaron cáncer, no aceptó someterse a ningún tratamiento. Decidió suicidarse, dándose un balazo en la cabeza. Esta gran tragedia arrastró a toda la familia y Carlitos, a sus doce años y como testigo cercano de todo lo ocurrido, fue el más afectado.

Debido a las peculiares circunstancias de esa muerte, la familia no gozó de la pensión del ejército, y cayeron en una grave crisis económica. Ana tuvo que trabajar aún más para solventar los gastos. Su amiga Sonia procuraba hacerle ver que prácticamente no se ocupaba de su hijo.

Carlitos se iba desarrollando con una serie de carencias y traumas afectivos, y empezó a buscar cómo cubrirlas. Se hizo amigo de unos vecinos de dudosa reputación. A los 16 años inició con actitudes femeninas, fuertemente reprimidas por toda la familia.

A los 18 se declaró abiertamente homosexual y se fue de la casa materna. Esto fue un duro golpe para Ana. Intentó buscar ayudas para su hijo con psicólogos, sacerdotes, orientadores familiares, pero todo fue inútil. Su hijo le notificó que ahora se llamaba Esmeralda: empezó a vestirse como mujer, abandonó los estudios y su prioridad era asistir a todo tipo de lugares y convenciones de homosexuales. Para cubrir sus gastos comenzó a robarle dinero a su mamá.

Ana cayó en una profunda depresión y agotamiento físico, por lo que decidió –por consejo de Sonia– realizarse una revisión médica. El diagnóstico fue cáncer de mama. Se sometió al tratamiento indicado y al año estaba haciendo vida normal. Su principal preocupación era su hijo, al que ahora veía sólo esporádicamente.

Un año después le detectaron nuevamente cáncer, pero ahora en los huesos. Actualmente Ana está en fase terminal.

Su amiga Sonia siempre ha estado a su lado, apoyándola y hablándole de Dios. Gracias a esas conversaciones, Ana accedió a recibir el sacramento de la Confesión. Ha comprendido que la situación de su hijo se explica por no ser la madre que el niño necesitaba, encerrándose en su dolor por la pérdida de su esposo. Le ha pedido a su amiga que vele por su mamá, ya muy anciana. Ha sabido abandonar la situación de su hijo en manos de Dios, y ella se confía a la Misericordia divina.

o-o-o-o-o

La historia de Carlos resulta fácilmente explicable: ausencia de afecto –especialmente paterno–, junto a la incapacidad de la madre por cubrir esa carencia, refugiándose en el trabajo y en su propio dolor. El posible sustituto del modelo paterno –el abuelo– no facilitó, por su excesiva rigidez y distanciamiento, el logro de la masculinidad para el niño.

AYUDA ESPIRITUAL A NIÑOS

La ayuda espiritual a los niños no se llama propiamente *dirección espiritual,* pues a esa edad no tienen aún el suficiente mundo interior para poder darle esa calificación. Pero no cabe duda que en ellos se da –y a veces de modo muy intenso– la acción del Espíritu Santo. Sus características propias –sencillez, pureza incontaminada, apertura, receptividad–, los hace particularmente sensibles a los toques de la gracia, y particularmente dúctiles para que desde entonces pueda darse en ellos la orientación a una vida santa.

Tal fue la experiencia de Teresa de Lisieux cuando tuvo contacto próximo con las dos hijas de la persona que colaboraba en su hogar con las tareas domésticas. Su fina percepción psicológica y la propia experiencia en los dones divinos hicieron que exclamara: "¡Cuántas almas llegarían a la santidad si fuesen bien dirigidas...!"[13]. Ese lamento fue ocasionado por la breve experiencia pedagógica que le hizo

[13] *Manuscritos autobiográficos A,* 53r.

exclamar: "Viendo de cerca estas almas inocentes, comprendí la desgracia que supone el no formarlas bien desde su mismo despertar, cuando se asemejan a la cera blanda sobre la que se puede dejar grabada la huella de las virtudes, pero también la huella del mal..."[14].

Nunca se encarecerá bastante la importancia de la familia –particularmente de la madre– en la educación religiosa de los niños y en sus futuros desarrollos. La madre debe recitar juntamente con los hijos la oración de la mañana y de la noche, y esto en forma tal que esos instantes sean un momento de auténtico recogimiento, a pesar del trabajo agobiador del día con todas sus contrariedades. En esta oración se debe hacer referencia, si es posible, a los sucesos de la vida familiar, con sus alegrías, preocupaciones y pesares, de modo que todo lo que implica esa pequeña comunidad familiar –que es el centro del mundo para sus miembros– sea puesto ante Dios. La importancia de estos breves instantes de recogimiento supera toda ponderación.

Aprender de los niños

Para un educador es muy importante el contacto con los niños. Pueden hacerle comprender aquello de Tertuliano: *Anima est naturaliter christiana.* Se convierten en verdaderos maestros si tenemos la fortuna de desentrañar la magia de la niñez.

[14] *Id*, 52v.

Los niños saben pasarla bien, mucho más que la mayoría de los adultos. No necesitan gran cosa para reírse. Son enormemente espontáneos. No analizan ni elucubran teorías. Simplemente se mantienen ocupados siendo ellos. Alguien dijo que Adán consiguió sacar dos cosas del paraíso: la risa y el juego. Y ambas son propiedad de los niños.

Los niños viven fascinados. Son curiosos. Una piedra, un charco o una hormiga les resulten otras tantas fuentes de asombro. Como si descubrieran en ellos mensajes ocultos del Creador. Saben leer en las cosas, y extraen de ellas experiencias nuevas y emocionantes. Los adultos nos hemos habituado a que estén ahí, olvidando cuán mágico es nuestro planeta.

Los niños aceptan libremente, no tienen prejuicios. Les da igual una persona rica o pobre, blanca o negra. Ellos no tienen por qué emitir juicios de valor; aceptan las cosas como son y se adaptan a ellas.

Su capacidad de recuperación psicológica es enorme. Un día, un niño llamado Daniel sufrió un terrible golpe en el estómago. Luego de varios días hospitalizado, falleció. Cuando se comunicó la noticia a sus compañeros de escuela –ellos sabían de la gravedad de su condiscípulo– lloraron un rato. Pero al llegar el recreo jugaron tan felices como cualquier otro día y así continuaron los siguientes.

Son enormemente perseverantes. Si quieren algo, no se dan por vencidos. Por eso los oímos insistir: 'Papá, cómprame una piñata'. Su perseverancia es digna de admirarse y soportarse. Si los vendedores de seguros se capacitaran en un jardín de niños, probablemente el noventa y ocho por ciento no claudicaría en los primeros doce meses. Simplemente, los niños perseveran. Así aprendieron a caminar, perseveraban en su empeño a pesar de una caída y otra, y aprendieron así casi todo.

Para ellos, la imaginación es mucho más importante que la inteligencia. Los mundos fantásticos resultan en verdad apasionantes, y les tiene sin cuidado la política o la economía. Su imaginación les permite aprender, retener y desarrollarse a toda prisa. Lo real es lo que sueñan, no lo que viven. Y lo que sueñan es de hecho real, porque se introducen en esos mundos como cuando salen de su casa por la ventana.

¿No resulta fundamental el ejercicio de la imaginación en la vida contemplativa? ¿No se precisa para encender la fe, para descubrir la presencia viva y cercana de Jesús? ¿La comunicación del Padre y del Espíritu Santo, la participación en el Sacrificio del Calvario? ¿No resulta imprescindible para la riqueza oracional? Los niños y su valoración de la potencia imaginativa son una continua fuente de aprendizaje para el contemplativo.

Por eso los niños juegan. Juegan por jugar, no como los adultos que cuando jugamos no sabemos hacerlo si no es para ganar. Ganar el partido o ganar puntos o ganar prestigio o ganar dinero. Ellos juegan por la felicidad del juego. En esto se parecen a Dios, que juega cuando crea y cuando redime y cuando salva y cuando santifica. No gana nada, simplemente juega; juega el juego del amor.

¿No aprenderá el educador muchas cosas de los niños? ¿No valorará la traslación de sus modos a los modos del alma? ¿Aprenderá a no tomarse todo tan en serio, y a saber restar importancia a sucesos y personas, comenzando por no tomarse tan en serio a sí mismo?

III. LA EDUCACIÓN SEXUAL DIRIGIDA A LOS ADOLESCENTES

¿QUÉ DECIR DE LA EDUCACIÓN SEXUAL DEL Y DE LA ADOLESCENTE?

En la pubertad o adolescencia[1] vuelven a cobrar importancia los asuntos relacionados con la sexualidad, que habían estado latentes en la "edad de la inocencia". Es oportuno, por ello, que antes de comenzar esta etapa –cuando se encuentre el educando en la llamada *pre-pubertad*– conozcan lo vinculado a los misterios del amor y de la vida, también desde el punto de vista genital y biológico.

El despertar sexual se produce de los 10 a los 12 años en las mujeres y dos años después en los varones: 12 a 14 años. El tema de la sexualidad se presenta de modo nuevo, ya no como algo ajeno (por ejemplo, cuando advierten un nuevo nacimiento), sino de modo propiamente personal: los chicos de ambos sexos advierten en sí mismos la existencia y la fuerza del apetito erótico. Es preciso ofrecerles mayor comprensión y ayuda.

[1] *Pubertad* y *adolescencia* no son sinónimos, aunque los expertos tampoco están de acuerdo en las diferencias. Algunos llaman *adolescencia* al período entre la infancia y la juventud, período en que tienen lugar los cambios psicológicos, y *pubertad* al período de los cambios somáticos y fisiológicos que sobrevienen por el estímulo hormonal, con el desarrollo de los caracteres secundarios. Otros, sencillamente, llaman *pubertad* al período anterior a la adolescencia. El lenguaje coloquial no los distingue, por lo que tampoco lo haremos aquí, usando indistintamente uno y otro término.

La pubertad es un período de grandes alteraciones psicosomáticas. Podría asociársele la caracterización del Romanticismo alemán: *Stürm und Drang*, 'tormenta y pasión'. Desde las transformaciones morfobiológicas –desproporciones físicas, cambios de modulación en la voz con sus momentos ridículos–, hasta la aparición de la capacidad de procrear, pasando por profundos cambios interiores: variaciones en el estado de ánimo –desde la euforia hasta la depresión–, deseo de estar solos, emotividad –irritaciones y lágrimas– a flor de piel, manifestada principalmente en casa, atención desmesurada al propio físico, al modo de vestir y de arreglarse, la dependencia del qué dirán, las salidas de tono, etcétera.

En lugar de la franqueza y de la confianza infantiles aparece, incluso ante las personas más próximas, una reserva taciturna, una tímida esquivez, un temor al contacto psíquico. El adolescente se distingue por una altanera independencia, que tiene su asiento en un mundo interior propio, y cuyo anhelo de relación con determinadas personas procede ya de propia elección.

El adolescente experimenta, sin saber explicarlo, el nacimiento y el desarrollo de su intimidad. Junto con ello, realiza un mundo interior propio que lo lleva a una peculiar combinación de inseguridad y apatía. Se va desmoronando la tranquilidad y coherencia del mundo infantil, y el chico o la chica se repliega sobre sí mismo, buscando en la intimidad un punto de apoyo. Nada los atrae de manera decisiva, y todo los distrae. La curiosidad y el deseo de saber declinan para reaparecer impregnados de espíritu crítico.

De esas alteraciones deben estar al tanto padres y educadores. Ahora bien, respecto a la educación sexual, si de pequeños no era absolutamente relevante que la formación procediera del padre o de la madre, ahora es más prudente que el papá (o el tío, o el abuelo, o algún familiar varón de confianza, si falta el padre) asuma la responsabilidad respecto a los hijos varones, y la mamá a las hijas. Dificultaría enormemente la apertura si, en estos temas en los que aparecen la natural reserva y el pudor, el interlocutor fuera del sexo opuesto.

Lo anterior, sin embargo, no es absoluto. Hay temas en los que la intervención del papá en la educación de su hija será más incisiva, y lo mismo puede decirse de la intervención materna respecto al adolescente varón. Puede resultar más incisivo, por ejemplo, que el papá explique a la chica la psicología masculina respecto a las reacciones sensuales más fuertes de los varones, y que por tanto sea él quien le insista en la importancia del pudor en el vestir. La mamá podrá explicar al adolescente varón algunos rasgos de la feminidad que lo ayuden a comprender, por ejemplo, por qué no ha de tratar a una compañera con los mismos modos y actitudes que emplea con sus iguales varones. Pero los asuntos más directamente relacionados con la sexualidad de cada uno, conviene que los aborde el progenitor del mismo sexo.

Los padres que, en etapas anteriores han sabido conversar con sus hijos de todos los temas que surgían a lo largo de los días, podrán sin dificultad continuar esos diálogos en torno a los nuevos intereses de los hijos. Si de niños no les dieron atención, afecto, comunicación y aprobación, será muy difícil que logren franquear la barrera de la intimidad cuando sean adolescentes. Entre los sentimientos nuevos que experimentan los adolescentes está el rechazo a invasiones en su ámbito interior. Será tarea lenta y paciente de los padres recuperar la confianza que no se ha sabido ganar.

¿ES LA ADOLESCENCIA EL MOMENTO OPORTUNO PARA CULTIVAR LA VIRTUD DE LA CASTIDAD?

En efecto. La *castidad* forma parte de la virtud de la *templanza,* virtud que tiene como objeto ordenar y regular el uso del placer que va unido a la comida, a la bebida y al apetito sexual [2]. Si al niño debía enseñársele la templanza orientada sólo a los dos primeros apetitos, al adolescente habrá que ayudarlo también a regular el tercero. Si el niño ha logrado ser templado respecto a los placeres de la comida y la bebida, estará bien preparado para vivir la castidad en su adolescencia.

Ninguno de esos placeres es malo en sí mismo: Dios los ha puesto para mantener la vida y para la transmisión de la misma. Se convierten en malos por una doble razón:

–cuando son fruto de una acción mala, no regida por la recta razón (por ejemplo, cuando se come o se bebe en exceso),

[2] SANTO TOMÁS DE AQUINO, *Suma teológica* II-II, q. 141, a. 4.

–cuando se buscan por sí mismos (el placer es *para* la operación, y no al revés [3]).

La castidad tendrá, pues, la misión de *templar*: poner orden, armonizar, regular todo lo referente a las tendencias sexuales, para darles el cauce adecuado según las obligaciones de cada persona. La templanza se distingue de todas las demás virtudes morales en que «tiene su verificación y opera exclusivamente sobre el sujeto actuante»[4]. Las demás virtudes se refieren a objetos que quedan fuera del sujeto, y lo mismo sus transgresiones. Por eso las faltas a la castidad –que permanecen en el sujeto, imagen de Dios– tienen el carácter de una suerte de profanación.

Ahora bien, ¿cómo se regulan las pasiones y, en concreto, las pasiones sexuales? Santo Tomás de Aquino enseña que la voluntad puede regular las pasiones de dos maneras:

–Primera, cuando las pasiones sufren opresivamente esa regulación, de modo violento e imperfecto, modo que conlleva dificultad y tristeza.

–Segunda, cuando las potencias inferiores participan activamente en la moderación que ejercen las superiores, y a ellas se acomodan con facilidad, gustosamente, con una disposición estable que es precisamente la esencia psicológica de la

[3] *"Delectatio est propter operationem et non et converso"* (SANTO TOMÁS DE AQUINO, *Suma contra Gentiles*, 3, c. 26; *Suma teológica* I-II, q. 34, a. 1 y 4).
[4] JOSEPH PIEPER, *Prudencia y templanza,* Rialp, Madrid 1969, p. 121.

virtud. La personalidad estará entonces integrada, ordenada rectamente al fin, sin peligro de desequilibrios anímicos (aunque no falten momentos de dificultad y de lucha).

Mientras el individuo no ha llegado al modo anterior –es decir, si las potencias inferiores son tan sólo reprimidas, no sublimadas–, no puede decirse que posea con plenitud la castidad en cuanto virtud; todo lo más realizará *actos de continencia,* que es una virtud imperfecta [5]. Cuando lo logra, la castidad no se queda en los actos externos, entre otras cosas porque la sexualidad es también interior: no se reduce al simple comportamiento, ya que en último término la conducta exterior no es sino el resultado de la actitud interior.

Dicho en otras palabras, toda virtud –y muy especialmente la castidad, porque hace referencia al mundo afectivo del sujeto–, ha de estar empapada, traspasada por el amor. El amor es el fundamento, la raíz y la madre de todas las demás virtudes [6]. En este sentido, las virtudes morales no son en el fondo más que distintas especificaciones del amor: diversas aplicaciones del amor a Dios, que es el vínculo de la perfección[7], según los distintos objetos o materias sobre las que verse el acto humano en concreto. Así, la virtud de la templanza será el amor a Dios cuando en fuerza de ese amor regulamos –de acuerdo con la razón iluminada por la fe–, todo lo que se refiere a las pasiones carnales o sensuales.

[5] SANTO TOMÁS DE AQUINO, *Suma Teológica,* II-II, q. 154, a. 1.
[6] SANTO TOMÁS DE AQUINO, *Suma Teológica,* II-II, q. 24, a. 8.
[7] Cf. *Colosenses* 3,4.

Sigmund Freud se preocupaba por remover los instintos bajos, las pasiones inferiores, los traumas infantiles... para tratar de ponerlos en orden y conseguir entonces dar con la clave del enigma. La Santa Madre Iglesia, con su experiencia milenaria y la asistencia del Espíritu Santo, nos da un remedio mucho más atrayente: poner en orden las potencias superiores: el alma, la razón, la voluntad, con el amor, y entonces –todo más rápido, más seguro y más agradable que con el método freudiano– la victoria es segura.

Ser casto, en definitiva, es tanto como estar dispuesto a amar, y a amar bien, como conviene a una persona humana, cuya clave interpretativa es, precisamente, *ser-para-el-amor*. No se trata, pues, de anular esa tendencia, sino de sublimarla. La insensibilidad es un vicio, porque es contrario a la naturaleza. Ninguna virtud tiene por objeto reprimir o anular nada que sea específicamente humano, y olvidar esta verdad lleva a lamentables equivocaciones. La castidad no puede ser una actitud negativa, de abstención, sino algo positivo, lleno de amor. Y al revés: *"donde no hay amor de Dios, reina la concupiscencia"*, enseñó san Agustín [8].

De modo que, para el adolescente (y lo mismo podría decirse para toda época de la vida), la castidad se educa si se ha educado en el amor: en el amor a Dios y en el amor al prójimo, en la capacidad de donación. Si no se ha ayudado al educando a trascender la esfera del egoísmo –presente como

[8] *Enchiridion*, 117: PL 20,287.

consecuencia del pecado original– los demás remedios no serán nunca suficientes.

Por otra parte, todas las virtudes están interconectadas, exigen una mutua interrelación: no se puede vivir la esperanza si no tenemos fe; no podemos tener fe sin una base de humildad; no se vive la fortaleza si no se vive al mismo tiempo la prudencia, etc. Esto resulta particularmente acuciante cuando se trata de la castidad, que hace referencia, como hemos repetido, al núcleo íntimo de la persona. La formación del adolescente en la castidad no será, al fin y al cabo, sino una resultante de otras muchas virtudes previas: primero la caridad y, junto con ella, la generosidad, la laboriosidad, la piedad, la reciedumbre, el servicio, la sobriedad, etc. Volveremos sobre esto al tratar de la religiosidad del adolescente.

PERO, EN VISTA DE LA SITUACIÓN ACTUAL, ¿ES DE HECHO POSIBLE AL ADOLESCENTE VIVIR LA CASTIDAD?

La Iglesia, apoyada en la Revelación de Dios, afirma que la castidad es posible, también para el adolescente: si no lo fuera, no la pediría como presupuesto para la santidad y la vida eterna. Aporta, además, el testimonio de incontables personas –también adolescentes– que han vivido y que viven perfectamente la castidad. No obstante, para comprender con más profundidad la afirmación de que la castidad es posible y no es nociva, convendrá analizarla desde el punto de vista de los elementos que integran la sexualidad humana.

Desde el punto de vista instintivo,

la sexualidad humana no puede juzgarse por los patrones de una mera animalidad. En efecto, toda la conducta sexual humana, excepto las reacciones estrictamente reflejas (por ejemplo, que al presionar con fuerza la próstata se produzca una eyaculación), cae bajo el control de la voluntad. Ni siquiera las hormonas sexuales condicionan de modo determinante la conducta humana. Tanto es así que se tiende incluso a evitar la palabra *instinto* para referirse a la sexualidad humana, y a sustituirla por la expresión *impulso* o *tendencia* sexual.

Desde la perspectiva del orden corporal,

también debe afirmarse la no necesidad del ejercicio de la sexualidad. Los productos de las glándulas sexuales primarias y secundarias, que se vierten en el acto conyugal, cuando no se realiza habitualmente ese acto, son en parte absorbidos por el organismo y en parte expulsados espontáneamente durante el sueño, de modo que la abstinencia no supone ninguna alteración del equilibrio orgánico.

Desde la consideración de factores afectivos y psicológicos,

por ejemplo, neurosis, conflictos interiores, arideces de ánimo, amarguras, etcétera. Habrá que afirmar que el mero ejercicio de la sexualidad, independiente del verdadero amor esponsal, no sirve en absoluto para remediar esas situaciones, sino que muchas veces las hace más acuciantes: en efecto, al no dar cauce al amor oblativo, el desorden sexual intensifica el amor meramente concupiscible y, por tanto, egoísta.

La sexualidad es un medio de expresión de algo muy profundo: la actitud del hombre ante la vida. Es el vehículo del don de sí. En cambio una sexualidad no oblativa sino posesiva, egoísta, es decir, una sexualidad que no sea instrumento y expresión del amor personal, además de no ser humana, se deforma y deriva hacia formas patológicas que manifiestan un modo equivocado de estar en el mundo.

Sobre los medios concretos para vivir la castidad, véase el inciso *¿De qué modo pueden superar los adolescentes los asaltos de la impureza?*

CASO.– BERNARDO

Bernardo tiene catorce años e invitó a su casa para el próximo fin de semana a un amigo suyo. El viernes por la mañana su mamá prepara el lugar del invitado: tiene que bajar el colchón de la cama de Bernardo y ponerlo en el suelo. Al hacerlo, descubre dos revistas pornográficas bajo el colchón.

–*¿Cómo es posible que Bernardo tenga esto?* –se pregunta. *Siempre ha sido un muchacho sano, deportista, y que además da catecismo, se confiesa y comulga.*

Desconcertada, espera la vuelta al hogar de su marido. Cuando éste llega le dice:

–Mira lo que encontré debajo de la cama de Bernardo. ¿Qué hacemos? Dentro de una hora llegarán las niñas del colegio, junto con Bernardo y su amigo.

Deciden dejar pasar tranquilamente el fin de semana, y esperar al lunes. Ese día, el papá hablará con Bernardo. Analizamos las siguientes posibilidades de conversación.

PRIMERA (Padre con actitud permisiva):

–Bernardo, cuando tu mamá preparó el lugar donde dormiría tu amigo, encontró estas dos revistas debajo de tu colchón.

El chico se pone colorado y empieza a tartamudear. Continúa el padre.

–Tampoco te pongas así, no es para tanto. Tu mamá está muy triste y enojada, pero ya sabes que ella es algo mojigata. Yo le he prohibido que se meta en tu vida privada, aunque el hecho de haberse encontrado las revistas fue accidental.

Quiero decirte algo: yo también soy hombre y estas cosas son normales entre hombres. A tu edad, pasé también por esto, y entiendo que es normal echar de vez en cuando un vistazo a estas cosas. Sólo quiero pedirte un favor: si vuelves a traer este tipo de revistas guárdalas bien. No quiero que las lleguen a ver tus hermanas y menos tu mamá, para no meterme en líos.

SEGUNDA (Padre con actitud represiva)

–Bernardo, cuando tu mamá preparó el lugar donde dormiría tu amigo, encontró estas dos revistas debajo de tu colchón.

El chico se pone colorado y empieza a tartamudear. Continúa el padre.

– ¡Realmente no tienes vergüenza! ¿Acaso te he dado yo estos ejemplos? ¿Es eso lo que has aprendido en casa?

–Papá –intenta explicar Bernardo–, esas revistas no son mías, son de Raúl, un compañero de clase. Estaban todos viéndolas, yo me acerqué y me dijo que me las llevara el fin de semana. Me dio pena negarme y por eso las traje.

–No me vengas con cuentos –replica el papá–. A mí no me engañas. Lo único que sé es que estas revistas son una porquería. Así que toma, rómpelas ahora mismo frente a mí.

–Pero papá, de veras no son mías. El lunes las devuelvo, por favor.

–No. Rómpelas ahora mismo. Además, se acabaron para ti la televisión y los permisos por el resto del año.

TERCERA (Padre con actitud sensata).

–Bernardo, cuando tu mamá preparó el lugar donde dormiría tu amigo, encontró estas dos revistas debajo de tu colchón.

El chico se pone colorado y empieza a tartamudear. Continúa el padre.

–Hijo, veo que te pones colorado. Menos mal. Ahora mucha gente ha perdido la vergüenza y cae en el cinismo. ¿Sabes de dónde viene la palabra cínico? Del griego «kynós», que significa «perro». Los cínicos eran unos filósofos que –como los perros–, hacían sus necesidades en la calle. Bueno, menos mal, te digo, que te da vergüenza que tu mamá haya descubierto estas revistas. Que te hayas puesto colorado es una buena señal.

No creas que para mí es sencilla esta conversación. Me sería más fácil hacerme el desentendido, como si nada hubiera pasado. Pero creo que es importante que hablemos claramente de algunos asuntos.

Antes que nada, me gustaría que tuvieras muy claro que cualquier desahogo sexual, al margen del matrimonio, es una perversión. Yo también tuve tu edad, y sé que los impulsos sexuales pueden a veces ser muy fuertes, y que también es fuerte la presión que pueden ejercer sobre ti los muchachos de tu edad. Pero piensa que la pornografía degrada a la mujer, al presentarla como un simple objeto de placer. Dime, ¿te gustaría que tu mamá o tus hermanas salieran retratadas ahí? ¿O tus futuras hijas, o tu futura esposa? ¿Verdad que no? Pues cada una de esas mujeres es hija de alguien, hermana de alguien, quizá madre de alguien. Si tú compras o miras esas fotografías, ¿no colaboras con quienes realizan esas denigraciones de la mujer?

Además, piensa también que los mejores caracteres –tú tienes muchas cualidades, tú podrías ser uno de esos grandes caracteres– son aquellos que dominan sus pasiones desordenadas. Pon tu meta muy alta, ahí donde Dios te ha pensado. Sería muy triste que por estas tonterías no llegaras a cumplir el grandioso proyecto de la santidad a la que estás destinado. Eres hijo de Dios, y tu lugar está con Él para siempre. No lo olvides[9].

ES FRECUENTE OBSERVAR EN LOS ADOLESCENTES UN DESFASE ENTRE EL DESARROLLO FÍSICO Y EL PSICOLÓGICO...

Sí, y esas inestabilidades pueden ser causa de desconcierto tanto para los adolescentes como para sus padres y educadores. «Adolescente» viene del latín *adolescens,* participio

[9] Otros argumentos sobre los riesgos de la pornografía pueden verse al final de este libro, en la lectura titulada *¿Qué daños ocasiona la pornografía?*, páginas 268-272.

activo del verbo *adolescere,* que significa «crecer». Su traducción sería «el que crece», o «el que está creciendo»[10]. Ese crecimiento puede no ser armónico, dando lugar a los «desfases» que se observan en los adolescentes entre su madurez biológica y la psicológica.

Debido a múltiples factores, en la sociedad contemporánea se ha agudizado ese desfase. El desarrollo corporal se ha acelerado, y la maduración sexual empieza casi dos años antes que a mediados del siglo XX.

Ese desarrollo físico acelerado contrasta con el desarrollo de la personalidad, que más bien se encuentra retardado. En épocas pasadas, el chico o la chica salían al mundo del trabajo o a la formación del hogar antes que ahora. Hoy en día el adolescente sabe que seguirá siendo 'hijo de familia' todavía muchos años, ya que los estudios o la formación profesional son cada vez más dilatados, y la independencia social y económica para poder formar una familia se alcanza cada vez más tarde.

¿Se da con más frecuencia, entonces, una especie de corporalidad desarrollada, dentro de un psiquismo infantilizado? ¿Cuáles son las consecuencias de ello?

El adolescente atraviesa por una etapa difícil y conflictiva. Debe armonizar sus cambios orgánicos con la alteración emo-

[10] «Adulto» viene del mismo verbo, pero se trata del participio pasivo. Su traducción sería «el que creció».

tiva que supone la despedida de la infancia y la aparición de los nuevos impulsos sexuales. Tiene una gran necesidad de comprensión y apoyo. Se ve expuesto por primera vez al impulso carnal, al alcohol, a la droga, a las presiones de todo tipo por parte de sus compañeros, y a las exigencias académicas. Pero los padres –y ellos mismos– han de advertir que los problemas y conflictos no son ni mucho menos algo extraordinario, insuperable, excepcional. Son más bien la consecuencia de que el impulso sexual irrumpe en sus vidas cuando aún no ha llegado a su madurez psíquica y personal. Los padres pueden hacerles comprender que su voluntad y su inteligencia no son aún lo suficientemente fuertes para controlar todas sus mutaciones, y que por tanto deben pedir ayuda y estar abiertos a ella.

Una consecuencia muy posible –particularmente entre los adolescentes varones– de ese desfase entre su desarrollo sexual y su inmadurez psicológica es caer en la práctica de la masturbación. Por los efectos nocivos que conlleva esta práctica –sobre todo cuando se establece como hábito persistente– nos detendremos en ella.

¿Y SOBRE LA MASTURBACIÓN EN LOS ADOLESCENTES?

Los padres varones deben hablar a sus hijos varones preadolescentes sobre la masturbación[11]. La masturbación consiste

[11] Para una argumentación posible, véase el caso "Araceli", páginas 19 a 21.

en darse a sí mismo, solitariamente, el placer sexual por la excitación voluntaria de los órganos genitales o de otras zonas erógenas. Puede convertirse en hábito –a veces de por vida– cuando no se pone remedio. Por eso es importante incluir su tratamiento específico en lo concerniente a la educación sexual.

Las maniobras masturbatorias, ocasionales o repetidas, son frecuentes especialmente entre los varones, pero ello no significa que sean naturales ni normales. Es necesario poner claridad en este espinoso asunto. La masturbación es frecuente pero no es normal ni natural. Es un *hábito desordenado,* y lo *normal* es mantenerse libre de los hábitos desordenados. Hay quienes afirman que la masturbación es un fenómeno *normal,* ligado a la maduración sexual del individuo. Ahora bien, si por *normal* se entiende algo *frecuente* que como tal entra en las estadísticas, estaríamos de acuerdo en decir que es *normal.* Pero, ¿acaso los asaltos, los robos, los acosos sexuales, son normales porque hay muchos?

No, la masturbación no es normal ni natural porque no forma parte del desarrollo armónico de la personalidad humana. Lo *normal* y lo *natural* es que el organismo masculino busque la manera de expulsar los excedentes, sea a través de las poluciones nocturnas, sea a través del flujo sanguíneo. El uso genital debe reservarse para entregarlo en plenitud dentro del matrimonio. El poder sexual no está hecho para uno solo, sino para hacer feliz y querer a otras personas. La masturbación contradice esa referencia al amor, por eso se llama también *ipsación,* del vocablo latino *ipsum,* que significa "uno mismo". Es como una especie de «demostración de cariño» a uno mismo. También se le llama «vicio solitario», porque como hábito malo atrapa a quien lo practica, encerrándolo en su soledad...

> *Prueba de la realidad egocéntrica de la masturbación es que casi siempre este vicio es abandonado al despertarse en el chico el interés por una chica: aunque no sea un amor pleno, es ya un amor incoado, y el amor erradica el egoísmo.*

La masturbación es una práctica egocéntrica que manifiesta inmadurez psicológica, particularmente afectiva. Por eso, después de practicada, es siempre frustrante: no produce felicidad, como la produce el amor; lo que produce es más bien un sentimiento de malestar y un declive de la autoestima. Aparece, además, el reclamo de la conciencia, eco de la voz de Dios (al menos antes de que la conciencia se cauterice por la repetición del hábito).

Si la masturbación se establece como hábito arraigado, afianza al adolescente en su egoísmo. Eso le podrá dificultar una adecuada relación de noviazgo, tratando de vivir en él experiencias sexuales egoístas y no el conocimiento y el amor de su pareja. En el matrimonio buscará fundamentalmente su propia satisfacción, y le importará muy poco lo que sienta su cónyuge. No buscará la complementación mutua sino el goce individual. Los adultos con problemas sexuales de desenfreno o degeneración empezaron masturbándose, y al arraigarse la práctica, buscaron los excesos. Entender la sexualidad como campo de satisfacciones egoístas abre la puerta al resto de los desórdenes.

Al o a la joven que se masturba se le debe ayudar de manera positiva, haciéndole ver la nobleza de los ideales de superación y la belleza de la castidad. Como hemos dicho, la manera honda de solucionar este problema desde su origen es haber enseñado al educando, desde niño, a vivir en la esfera del amor. Tanto los educadores como él mismo –si parten de presupuestos de fe– comprenderán su grandeza de hijos de Dios, y eso les hará mantener la vista en alto sobre su identidad y su destino. Los mejores caracteres son aquellos que dominan sus pasiones con la luz de su razón y la fuerza de su voluntad, ayudados por la gracia divina. Hay muchos adolescentes y jóvenes que consiguen evitar completamente la masturbación y no son precisamente unos reprimidos. ¿Cómo lo logran?

Enumeraremos una lista de soluciones, de más a menos. La primera –dijimos– es el vivir en la esfera del amor, comenzando por el amor divino. El educando ha de contar siempre con la gracia de Dios, comprendiendo que en ella se encuentra el despliegue del ser divino que se dona al hombre. No se puede vivir esta virtud con las solas fuerzas personales, pues la herida que dejó el pecado en la naturaleza nos hace proclives a caer [12]. Por eso, el presupuesto fundamental es haber basado la existencia personal en la cercanía de Dios y en su continua interrelación en la propia vida; en definitiva, permanecer con Él en una relación de trato amoroso. Además, esa ayuda divina se ha de manifestar en la petición: es preciso orar para no caer en tentación[13].

[12] "Supe que no podía ser casto si Dios no me lo concedía" (*Sabiduría*, 8,21).

[13] Dice Jesús: "Velen y oren, para que no caigan en tentación; que el espíritu está pronto, pero la carne es débil" (*Mateo* 26,41).

Después de ese fundamento indispensable, es conveniente averiguar las raíces de los desajustes relativos al amor en sus relaciones interpersonales: ¿cuál es la problemática afectiva de ese joven, inclinado a la masturbación? ¿No recibe una atención y aprobación adecuada de sus padres? ¿No está satisfecho consigo mismo? ¿No comprende que su relación con Dios es una donación del Amor volcado sobre él, al que debe corresponder amando? ¿Le falta seguridad en sí mismo... a pesar de que pueda ser otra la apariencia? ¿Vive centrado en su propia persona, sin mirar alrededor ni preocuparse de los demás?

Responder esas preguntas llevaría a centrar la problemática: un chico que se masturba –sobre todo si lo hace con frecuencia– tiene alguna carencia afectiva, bien sea del amor humano, bien del divino y, en ambos, en el doble sentido del recibir y del dar.

Interesa además recordar que, aunque parezca paradójico, *el principal órgano sexual es el cerebro*. Es ahí, en el cerebro, donde se emite la orden que libera las hormonas que producen el apetito sexual. Si el cerebro se dirige a intereses distintos de las fantasías sexuales, es muy posible que el chico transcurra sus jornadas sin apenas atender a esas inclinaciones[14]. Es importante, por ello, evitar el aislamiento, la soledad, la incomunicación, los hábitos de vida cerra-

[14] San Juan Bosco, gran educador de adolescentes y jóvenes, buscaba siempre mantenerlos ocupados: sabía que así no serían fácil pasto del incendio carnal.

dos. Intervienen en este sentido, de modo clave, la práctica de oración verdadera (es decir, de encuentro personal y directo con Jesucristo), así como las actividades de voluntariado. Salir de uno mismo, y hacerlo de modo hondo y continuado, ayudará a evitar la esfera asfixiante del propio yo, causante de la *ipsación*. Fortalecer la voluntad con el control de los sentidos y la imaginación, evitar la ociosidad y la vida muelle. El baño diario (de regadera, no de tina), preferentemente con agua fría, la diligencia para acostarse y levantarse, la precaución en el uso de medios electrónicos (televisión, teléfono, internet), el fomento de aficiones en contacto con la naturaleza, así como el establecimiento de círculos estables de buenos amigos y la práctica de los deportes, son otras tantas alternativas que ayudan a evitar o a superar este mal hábito.

¿ES ENTONCES LA ADOLESCENCIA UN PERÍODO PREVALENTEMENTE «NEGATIVO»?

No. En la adolescencia cobra valor, más que en ninguna de las etapas anteriores de la vida, la aspiración del alma humana hacia los más nobles ideales. Los ensueños son frecuentes y normales a esta edad. Un adolescente es materia dispuesta para la aceptación de modelos en quienes fijar su admiración. Es por ello que los educadores –los primeros educadores son los padres– deben mirarlos siempre con esperanza, sabiendo que hay una idea ejemplar que sobre ellos existe en la mente de Dios. Es un reto para los educadores –repetimos que los primeros educadores son los padres– ofrecerles con habilidad y don de lenguas ideales altos, de modo que ya en su primera juventud se sientan atraídos por la grandeza del proyecto divino para el hombre.

Los adolescentes y los jóvenes de hoy no son distintos a los de ayer. Es verdad que viven en otro contexto, pero los educadores y los pastores confirman, hoy no menos que ayer, el idealismo característico de esta época de la vida. No estamos sólo ante una etapa de la vida caracterizada por un determinado número de años, sino en el tiempo dado por la Providencia para que cada hombre descubra su tarea. ¡Qué importante es abrirles horizontes cuando están comenzando a vivir! Su tiempo es el tiempo en el que, como el joven del Evangelio[15], se busca la respuesta a los interrogantes fundamentales de la vida. Los adolescentes tienen que resolver no sólo el *sentido* que pueden dar a su existencia, sino también el plan concreto para comenzar a construirlo. Ésta es la característica fundamental de la adolescencia que todo educador debe tener en cuenta.

Los adolescentes, además de idealistas, suelen ser generosos, valientes, optimistas. Son también indudables sus escollos, pero un modo muy fácil de perder la batalla es afrontarla con mentalidad derrotista. Quizá para el educador sea preciso –y no estará fuera de la realidad, sino muy dentro de la verdad– tratar de vislumbrar cuál puede ser, en la mente de Dios, esa idea ejemplar en base a la cual ha sido creado ese adolescente. Entonces podrá diseñar la ruta para alcanzar, desde la situación concreta en que se halla el educando, el proyecto de Dios sobre él.

[15] Cf. *Marcos* 10, 17-22.

¿CÓMO AYUDAR AL ADOLESCENTE EN LA TOMA DE POSTURA ANTE DIOS?

El tránsito de la infancia a la adolescencia no está exento de riesgos en lo que a la fe se refiere. Las necesidades que conducen al niño a Dios y a los nexos de la vida son, por decirlo así, más *intelectuales*. Las del adolescente, más *vivenciales*. La curiosidad infantil, incluso respetando las condiciones de la lógica formal, es instintiva y se satisface en su ejercicio. El adolescente no se conforma con el análisis, le hace falta resolver su problema personal profundo. En este sentido, podría afirmarse que «el adolescente necesita la religión, pero no la teología».

Alguien ha dicho que no somos seres racionales, sino seres sentimentales que intentan racionalizar sus sentimientos. Si esto vale para cualquier época de la vida, resulta particularmente importante en la adolescencia, donde la vorágine de las emociones hace que la racionalidad ocupe un plano secundario.

Además, el paso de la niñez a la primera adolescencia supone un punto de inflexión en la vida moral. Al despertarse la interioridad y la concupiscencia, el erotismo animará muchas veces el mundo imaginativo del chico[16]. Un sentimentalismo excesivo puede debilitar su conciencia del deber, y las dificultades morales derivar en conflictos religiosos. Las

[16] En este inciso nos referiremos más particularmente a la ayuda espiritual a adolescentes varones. En el siguiente inciso diremos algunas cuestiones propias de las adolescentes.

dudas se suceden. Se rechazan o critican los esquemas que implican dogmas y normas autoritarios, se cuestionan las verdades cuya definición es generalizadora o impersonal.

Lo anterior no significa que hayan desaparecido del adolescente las creencias que dotan de sentido absoluto la realidad. Lo que significa es que, paulatinamente, el conflicto se va desplazando hacia las profundidades del sujeto. Le parece que nadie sospecha ni es capaz de comprender lo que le pasa, y este desvalimiento, vivido entre silencios y escrúpulos de conciencia, puede llevarlo a un nuevo encuentro con Dios, como un verdadero despertar religioso. O puede sumirlo en el rechazo a las verdades de la fe. En las chicas la crisis se intensifica entre los 12 y 16 años; en los adolescentes varones, entre los 14 y los 18.

En este sentido, puede plantearse la conveniencia de situar la recepción del sacramento de la Confirmación no más allá de esa edad, es decir, antes de los 12 ó 13 años. El *Catecismo de la Iglesia Católica* recuerda que "la tradición latina, desde hace siglos, indica 'la edad del uso de razón' como punto de referencia para recibir la Confirmación" (n. 1307). Los libros litúrgicos, por su parte, señalan que "en la Iglesia latina la administración de la Confirmación generalmente se difiere hasta los siete años aproximadamente" (*Ordo Confirmationis; Praenotanda*). Hasta esa edad no se requieren propiamente los efectos de este sacramento, pero desde que se alcanza el uso de razón resultan necesarios, porque empieza la vida moral y la consiguiente lucha contra los enemigos del alma. Es por ello erróneo retrasar la Confirmación hasta una edad más avanzada, al final de la adolescencia e incluso en la edad adulta.

Si es verdad que la recepción de todos los sacramentos exige la disposición adecuada del sujeto (es decir, que el sacramento produce más o menos efectos *ex opere operantis*[17]*), en la Confirmación se trata precisamente que el sujeto asuma de modo personal lo que en el bautismo recibió en virtud de la fe de la Iglesia.* Hacer suya la fe y la moral recibidas, y la conciencia de ello.

La ayuda espiritual al adolescente –sin descuidar su oportuna preparación doctrinal– buscará ofrecerle una detenida y profunda preparación dirigida al corazón. Dijimos que en esta edad es más importante la religión (entendida como relación personal) que la teología, entendida como ciencia que explica interrogantes. La ayuda espiritual se orientará, pues, a inducirlos a lograr encuentros con Cristo –en la oración, en los sacramentos, en la ayuda a los más necesitados–, facilitándoles la comunicación personal con Jesucristo, de modo que logren establecer puntos de escucha y diálogo. De este modo, con esa toma de conciencia y la práctica de una relación personal y viva con Jesucristo, el despliegue posterior de las potencialidades del sacramento de la Confirmación puede situar al adolescente en un terreno elevado que lo ayude a mantener a raya la lucha en el dominio de sus pasiones, particularmente respecto a la sexualidad de adolescentes varones.

[17] Este vocablo latino es la expresión técnica para indicar que la eficacia del sacramento depende también, además de la acción del sacramento mismo, de las disposiciones del sujeto que lo recibe. Significa: *"por la obra del que actúa"*.

"Hay que iniciar a su tiempo al muchacho en un ejercicio de caridad para con Dios. Dios no es un objeto que se mira, aunque quizá sea con alegría y sorpresa: es una persona que se acoge y a la que uno se entrega. Hablar de Dios sin ayudar –al mismo tiempo– al muchacho a dirigirse hacia Él, en un primer acto de libertad, es hacer conocer mal a Dios. Por lo cual, introducir al chico en la práctica de la caridad es una preocupación educativa fundamental"[18].

El educador se sorprenderá de la naturalidad con la que niños y adolescentes se introducen en la práctica de una oración así, cara a cara, con intercambios de comunicación. Facilitarles en ocasiones papel y lápiz para *materializar* sus diálogos podría ser un medio que les ayudara a continuar haciéndolo de modo regular ya por su cuenta.

La toma de postura del adolescente ante Dios

Es muy legítimo comprobar de qué modo la espiritualidad va cambiando a lo largo de la evolución de la edad. El niño no se siente capaz de discernir por sí mismo el entorno de las cosas y la naturaleza de los seres: tiene necesidad de que los educadores disciernan por él cuál es la verdad, a la que con gusto se somete. Este fondo psíquico lleva al niño a acoger con alegría su situación de criatura sometida a los mandamientos de Dios y a las enseñanzas religiosas. El adolescente, en cam-

[18] T. GOFFI, en ERMANNO ANCILLI, *Diccionario de espiritualidad,* Herder, Barcelona 1983, voz *Adolescencia.*

bio, siente la imperiosa necesidad de existir por sí mismo. Se ha introducido un nuevo elemento: escapar al control de cualquier autoridad exterior.

El influjo dominante del propio ambiente, que antes sentía como una necesidad absoluta le aparece ahora como un obstáculo, que debe superar para desarrollar sus fuerzas de modo autónomo. Se pasa así de la heteronomía moral del niño a la emancipación espiritual del adolescente. Cuando más considera éste una espiritualidad como impuesta por una autoridad, tanto más peligrosa la ve, amenazadora de su libertad.

Se trata, pues, que quien trasmita la vida religiosa y la transmisión del contenido no aparezcan como amenazas de su desarrollo. En el primer caso –el trasmisor– debe lograr prestigio moral y humano ante el adolescente. Ya dijimos que éste es, por una parte, particularmente sensible a los modelos en los que podría reflejarse y, por otra, particularmente sensible al hecho de saberse amado, aceptado: alguien que lo afirme en su inseguridad. El adolescente, a pesar de sus reivindicaciones de independencia, no sabe vivir con autonomía, permanece tributario de los demás y en el fondo está esperando inconscientemente un redentor que venga a rescatarlo.

Por lo que se refiere al *modo* de ofrecer el contenido de la fe, la gracia y la maña –o la ausencia de ellas– podría llevarlos, igualmente, a que las realidades espirituales sean rechazadas o deseadas, según las perciban como favorables o contrarias a su autonomía. Los mandamientos, los sacramentos, el mismo misterio de la Iglesia podrán repelerle o atraerle, aparecerle insoportables o amables, según los descubra o no como caminos hacia su personalidad libre.

De modo que, alrededor de los 15 años, el adolescente podrá asumir, entre otras, una de dos actitudes[19]. No se trata –en la mayoría de los casos– de tomas de postura explícitas, conscientes, como si hubieran de definir su vida en un momento. Son posturas que van configurando paulatinamente la orientación radical de los años venideros, y a veces de toda la existencia.

La primera postura se reflejaría en una disposición de este tipo:

> *"Acepto que en este misterio del cosmos yo no soy sino una pequeñísima rueda cuyo funcionamiento debe subordinarse al orden total. Acepto que en la cumbre de ese orden total hay una Suma Sabiduría y una Suma Bondad, y estoy dispuesto a vivir acatando ese orden del cosmos y, a través de ese orden, los designios de la Suma Sabiduría y la Suma Bondad".*

Esta postura origina el tipo de hombre esencialmente religioso –*el hombre creado para alabar, el que reconoce la realidad de*

[19] Por supuesto que caben muchas otras posibilidades en la toma de postura ante Dios distintas a las aquí mencionadas, y la Providencia contará con diversos medios para que alguien -antes o después- redefina su existencia. Pero estas dos pueden resultar paradigmáticas.

lo divino y la acata–. Ese hombre se encuentra maravillosamente dispuesto para la fe porque en cualquier momento en que él tenga la certeza de que Dios ha manifestado su verdad y su voluntad, él, consecuente con su primera actitud, estará dispuesto a recibirla y obedecerla.

La otra toma de postura es la opuesta. El adolescente adopta esta actitud a veces por razones intrínsecas –las menos–, ya que casi siempre lo hace condicionado por el ambiente, por la situación familiar o económica, por el orgullo fatuo y por el despertar de las pasiones ávidas de sacudirse todo yugo. Ese hombre dice más o menos así:

> *"El misterio del cosmos se me presenta como una lucha donde cada uno tiene que ocupar su puesto. Yo ocuparé el mío, implacablemente, y ese puesto será el central. Todo cuanto existe valdrá sólo en la medida en que pueda contribuir a las satisfacciones de mi yo. Los recursos materiales y las personas (la mujer, como objeto sexual) no son sino medios para que yo goce. Las relaciones con los demás no son sino medios para que yo suba. Implacablemente me dedicaré a vivir la vida en función de las satisfacciones de mi yo".*

Es el retrato del hombre cuya fe será siempre lánguida. Será el que consuma en el seno de su espíritu el pecado de infidelidad. Sin embargo, la esperanza debe siempre mantenerse: no es raro que estas crisis espirituales en la adolescencia conduzcan a una madurez religiosa superior.

¿ADQUIERE CONNOTACIONES DIVERSAS LA AYUDA ESPIRITUAL TRATÁNDOSE DE ADOLESCENTES MUJERES?

La noción de Dios es acogida de manera distinta en el adolescente y en la adolescente. El adolescente varón ve a Dios como el gran amigo que lo sostendrá al hacerse hombre, mientras que la adolescente ve más bien al Dios que se inclina hacia ella, al Dios que se interesa por su personalidad. Esto no es sino un reflejo de las características psicológicas de uno y otro sexo.

Todo, en la psicología de la chica, se reduce a una relación afectiva con otro. Ser comprendida y amada es el clima subyacente indispensable para que logre expansionarse y entregarse. Parece más dispuesta que el chico a aceptar que el compromiso cristiano es una respuesta al amor que procede de Dios. El adolescente varón está tentado a servirse de Dios como de alguien que lo ayudará a construir su yo, a realizar la imagen ideal que se forja de su propia personalidad. En el límite, Dios se le confunde con la propia imagen de sí. Por tanto, su concepción de Dios aparece dinámica pero utilitaria, mientras que la adolescente se orienta a buscar en Dios una presencia necesaria para su expansión afectiva: de ahí una visión de Dios más estática, más permanente y más profunda que la que pueda lograr el adolescente varón. Ambos proyectan en el Absoluto sus necesidades subjetivas profundas.

En las adolescentes, las crisis religiosas adoptan un carácter más afectivo-emotivo que racional o conductual. Dado el carácter sobrenatural de la fe entendida como encuentro con Dios, la chica no aceptará la experiencia religiosa sin un don íntimo de iluminación interior. Ello supone que el testimonio exterior, dado por la Iglesia a la verdad por medio del educador, vaya acompañado del testimonio interior de Dios en el espíritu de la adolescente, dispuesta a escuchar la verdad. Ella precisa que la fe se le haga vida en su relación personal con Dios –particularmente, como relación con Jesús, el Dios hecho hombre, relación singular, cercana, íntima–. El ejercicio de encuentros amables y confiados con el Señor será clave en su vida espiritual.

Para ambos –el adolescente y la adolescente– la introversión favorece la vida interior y la meditación, pero también puede exponerlos a un narcisismo espiritual que confunda la efervescente conciencia psicológica con la inspiración divina. Este peligro puede conjurarse a través de dos medios: la participación en la vida comunitaria, y la vida litúrgica.

Gracias a las actividades de voluntariado, será posible que descubran al Espíritu Santo que actúa en la comunidad de los fieles, y ellos sabrán pasar al estadio oblativo de la caridad. Esta caridad podrá traducirse en compromiso apostólico. Al principio, el comportamiento apostólico estará dominado por el sentido de adhesión y de sumisión al apostolado adulto; luego se caracterizará por la generosidad natural y por el deseo de vivirlo en el grupo de amigos, sostenido por la imaginación de heroísmo y grandeza. Es la época de los grandes ideales, y también del descubrimiento de la vocación de entrega plena a Dios. Los grupos misioneros tienen gran éxito entre ellos, porque alimentan el fervor de la fantasía. En su aspecto sobrenatural, esta caridad apostólica del adolescente encuentra su fuente y su impulso en la recepción del sacramento de la Confirmación.

Gracias a la adecuada participación en las celebraciones litúrgicas, el y la adolescente podrán transitar de la persona de Cristo al misterio de Cristo. Es en la acción litúrgica donde *se viven* los dogmas religiosos, se penetra en su hondo sentido con todo el ser: entendimiento, sensibilidad, capacidad creativa... Es un reto para el educador lograr que el culto divino resulte un importante medio de crecimiento en la piedad adolescente [20].

PARA LOS PADRES DE LOS ADOLESCENTES, ¿ES TAMBIÉN UNA «MALA ÉPOCA»?

El problema de la adolescencia es también el problema de los padres de los adolescentes.

> *"Precisamente en el momento en que los hijos están en plena «madurez expansiva», los padres entran en la «madurez restrictiva» y llegan a los cuarenta o más años. El crecimiento de los hijos les muestra el paso del tiempo y pueden surgir unos celos inconscientes"[21].*

[20] En este sentido, pueden resultar útiles las experiencias de Romano Guardini cuando enseñaba a los jóvenes a desentrañar el misterio del signo litúrgico. Cfr. ALFONSO LÓPEZ QUINTÁS, *Romano Guardini, maestro de vida,* Ed. Palabra, Madrid 1997, pp. 345 y ss.

[21] D. SONET, *Su primer beso. La educación sexual de los adolescentes,* Sal Terrae, Santander 2000, p. 65.

Cuando los niños nacieron, los papás tenían entre 25 y 35 años. Comenzaban la vida matrimonial y estaban llenos de ilusiones y esperanzas. Ahora tienen alrededor de 40, y las cosas aparecen distintas [22]. Pueden los mismos padres estar atravesando una crisis de maduración, tanto en sus personas como en su vida matrimonial. Y a esta crisis se añade la crisis tormentosa de sus hijos.

Una posible manifestación de esa etapa «adolescente» en un adulto sería, por ejemplo, que el padre intente competir con el hijo –la madre con la hija–, dejando de ser para ellos una referencia segura en su proceso de maduración. Pongamos por caso la mamá de una quinceañera o de una novia que internamente se encuentra reacia a aceptar que «su momento» ya pasó; y que la conquista y el lucimiento pertenecen ahora a su joven hija, aunque ella –la madre– siga siendo joven y guapa. La ropa que emplee, por ejemplo, ha de ser distinta en diseño y presentación a la de su hija adolescente. Su vestido y su arreglo para la boda de la hija estarán llenos de sencillez, pues la que ha de lucirse es la novia. De otro modo, el daño psicológico de una absurda competencia será en su hija potencialmente peligroso: al aparecer esa rivalidad, ella podrá ver a su madre como un obstáculo para su desarrollo, pudiendo transformarse el amor en verdadero odio.

[22] Decía Pèguy: "Escribir poesía a los veinte años es, simplemente, tener veinte años. Escribir poesía a los cuarenta, es ser poeta".

Además, es posible que los padres de los adolescentes experimenten, en cuanto pareja, la «fatiga» de su amor. Es una etapa que alguien ha calificado como época de «la desilusión del amor», y que santo Tomás de Aquino la encuadra en el vicio de la *acidia.* Después de doce, quince o veinte años de matrimonio, el prosaísmo de la vida, el descuido en el crecimiento del amor, el ansia de logros profesionales y la construcción de mundos poco a poco más independientes, pueden traer consigo la disminución o la desaparición del mutuo amor. Aparecen entonces las *hijas de la acidia:* el hastío, la apatía, el aburrimiento.

Dicho prosaísmo puede comprometer la condición de los esposos en esa etapa. Como antídoto, requiere una fuerte dosis de lirismo, aunque la educación de nuestro tiempo sea tan carencial en este aspecto. La mujer debe aprender a *reenamorarse* -de Dios, de su esposo; y el esposo de su mujer. Aprender a reenamorarse será inventar, sorprender, quitarle la horizontalidad a la vida. Establecer «ritos» para «celebrar el amor», porque celebrar algo es hacerlo nacer de nuevo.

«¿Qué es un rito?», pregunta El Principito de Saint-Exupéry. Y le contesta el zorro: «Es lo que hace que un día sea diferente de todos los otros días. Si no, todos los días se parecerían».

Los padres de adolescentes se encuentran, pues, ellos mismos en una situación difícil. Y es ahora, más que nunca, imprescindible su intervención en la educación sexual de sus hijos . El punto de partida es, sin duda, la calidad de su propio amor matrimonial, tal como enseña la Iglesia:

"Los padres deben prepararse para dar, con la propia vida, el ejemplo y el testimonio de la fidelidad a Dios y de la fidelidad de uno al otro en la alianza conyugal. Su ejemplo es particularmente decisivo en la adolescencia, período en el cual los jóvenes buscan modelos de conducta reales y atrayentes"[23].

¿Cuáles son las situaciones que dificultan a los padres su tarea?

Ellos se encuentran en la tesitura de «dar libertad» a sus hijos, perdiéndolos un poco. Aparecerá, por tanto, un sentimiento de «desgarro», que será más tolerable en la medida en que los esposos hayan fomentado su mutuo amor. En efecto, para que esa pérdida no repercuta en la felicidad conyugal, los esposos han de buscar el resurgimiento de su amor conyugal, redescubriéndose mutuamente. Han de ser felices conversando, saliendo y divirtiéndose los dos solos. Y, junto con el reforzamiento de su amor matrimonial y la consolidación de la armonía y el cariño en el hogar, podrán poner en práctica las siguientes recomendaciones para el trato con sus adolescentes:

- comprender y aceptar sus cambios y reacciones sicológicas, particularmente sus inestabilidades de ánimo;

[23] PONTIFICIO CONSEJO PARA LA FAMILIA, *Sexualidad humana: verdad y significado*, 8 de diciembre de 1995, n. 102.

- tratarlos como si fueran mayores de lo que realmente son; nunca como si fueran más pequeños;
- tolerarles ciertas respuestas y reacciones que son normales en la adolescencia;
- ejercer sin miedo y de común acuerdo su autoridad: uno de esos miedos que deben superar es volverse «impopulares» ante sus hijos o ante los amigos de sus hijos. Importa que señalen normas razonables, que deben ser necesariamente cumplidas: el permisivismo no acarrea sino caracteres amorfos. Evitarán absolutamente desacuerdos entre ellos respecto a las normas de funcionamiento;
- permitirles que gradualmente vayan teniendo nuevas responsabilidades y tomen sus propias decisiones;
- afianzar sus personalidades. El adolescente necesita exponer sus opiniones. Hay que escucharlos y conversar con ellos, sin burlas ni continuos consejos;
- tomar en serio sus sueños y fantasías; ofrecerles nobles ideales;
- facilitarles toda clase de actividad física;
- afianzarlos en su vocación profesional y, si fuera el caso, en su vocación divina;
- finalmente, ir por delante en el ejemplo de virtudes y coherencia de vida.

El amor esponsal, que se despliega en el amor materno y paterno, unido a la gracia de estado, logrará hogares felizmente unidos y los hijos, incluso en las etapas difíciles de la adolescencia, madurarán felices y equilibrados.

¿CÓMO RECIBIR LA NOTICIA DEL «PRIMER AMOR» DEL HIJO ADOLESCENTE?

La adolescencia es el momento del «primer amor». Se trata de la primera experiencia de atracción y simpatía –correspondida o no– hacia una persona de otro sexo. Es también oportuno que el papá o la mamá anticipen al chico o a la chica (aquí no es tan relevante que sea el progenitor del mismo sexo quien hable del tema) la aparición de ese sentimiento. Si el adolescente está advertido, cuando aparezca ese afecto lo interpretará mejor, y no se sentirá atrapado por un torbellino que no sabe ni cómo entró ni en qué podrá acabar.

Es conveniente explicar el sentido romántico y utópico del «primer amor» y del despertar afectivo como algo bello, puro y noble. Porque el amor es hermoso. Los jóvenes, en el fondo, buscan siempre la belleza del amor, quieren que su amor sea bello. Si ceden a las debilidades, imitando modelos de comportamiento que bien pueden calificarse como «escándalo del mundo contemporáneo» (y son modelos desgraciadamente muy difundidos), en lo profundo de su corazón desean un amor hermoso y puro. Y esto es válido tanto para los chicos como las chicas.

La intensidad del «primer amor» –el primer enamoramiento– es también una oportunidad para hablarles del amor de Dios. Ellos intuyen que nadie puede concederles un amor así fuera de Dios. Ese primer amor humano vendría a ser como una chispa de la Gran Hoguera, como una gota del Mar Infinito. El primer amor es una teofanía, es decir, una revelación de Dios. Enamorarse es una primera e inmediata teofanía porque la existencia de Dios y su modo de ser quedan manifestados no sólo por el Universo que Él creó, sino porque existe la dicha del amor, pues ¿cómo no va a existir un Amor absoluto como fuente de toda felicidad, si él o ella experimentan una inmensa felicidad porque aman? Si el amor se experimenta ya existiendo como algo así, ¿qué sentido podría tener no amar, en lugar de amar?

Hoy la tierra y los cielos me sonríen:
hoy llega al fondo de mi alma el sol;
hoy la he visto..., la he visto y me ha mirado...
¡Hoy creo en Dios! [24].

Sin embargo, es conveniente explicar que ese fuerte sentimiento es una realidad incoada, una suerte de esperanza idealista para cuando él o ella hayan desarrollado su capacidad de amar en plenitud. Podrán decirles que esa primera simpatía puede durar meses o años, e incluso llegar a cristalizar en un auténtico y constructivo amor. Pero no será lo habitual. A ese «primer amor» seguirá otro, y quizá otro…

El padre y la madre tienen una importante tarea que cumplir en esta etapa psicológica del adolescente. En primer lugar, con el ejemplo de su propio amor. Ya dijimos que en esta época los adolescentes buscan modelos de conducta reales y atrayentes. Por eso los padres pueden aprovechar esta

[24] G. A. BÉCQUER, *Rimas*, n. XVII.

«etapa romántica» de los hijos para replantearse su propio amor. El prosaísmo puede haber comprometido la condición de los esposos en esta etapa. Y el bombardeo erótico puede dificultar a los educandos la comprensión recta del amor. Las imágenes sexuales que asaltan desde la infancia, la estimación de la riqueza, del nivel de vida, del lujo, pueden acabar por imponerse, ahogando la capacidad de vida afectiva que colorea la vida.

Aunque la educación de nuestro tiempo sea carencial en el aspecto sentimental, los padres pueden y deben contar con que los adolescentes están en etapa de ensoñación. Pueden incluso aprender de ellos a redescubrir, a reinventar su mutuo amor. Pueden y deben fomentar la inclinación de sus hijos a las historias de amor inundadas de rosas, intentar que se aficionen a la poesía lírica, a que retengan versos en su memoria, a que la música mecánica no ocupe el lugar de las canciones románticas. Es oportuno que unos y otros aprovechen ese período para la reeducación de su propia sensibilidad.

Si los padres son modelos de conducta reales y atrayentes, si los adolescentes ven en ellos el amor verdadero, si los padres han logrado ganarse la confianza de sus hijos, ellos buscarán repetir ese modelo y los padres recibirán sus confidencias sentimentales. Los padres aprovecharán entonces para resaltar la verdad profunda del amor, algo tan grande y tan bello que no vale la pena derramar su riqueza jugando con él. Y que es algo tan grande y tan bello porque deriva del mismo Dios –Dios es Amor–, por lo que no debe expresarse con vehemencia ni con caricias que lo desvirtúen. El corazón humano debe reservarse para abrirse y entregarse plena y realmente al amor de por vida, cuando éste se presente en forma madura.

Dijimos que convendrá que los padres potencien la vena romántica de sus hijos para que ellos experimenten la altura de los ideales nobles. Pero, sin ahogar esa sensibilidad, podrán al mismo tiempo explicarles que los sentimientos son pasajeros, que el amor verdadero viene luego de muchos años de entrega y sufrimiento. Cuando el sueldo no llega al final del mes o cuando los niños no dejan dormir por la noche, cuando aparece la enfermedad y se hacen más patentes los defectos del otro, es entonces cuando se va construyendo y conquistando el verdadero amor.

¿ES ACONSEJABLE EL NOVIAZGO DE ADOLESCENTES?

Lo que es aconsejable es que el (o la) adolescente enamorado(a) no se aísle en un estrecho círculo. Resulta ventajoso que conozca otros chicos del sexo opuesto para poder comparar y hacer en el futuro una mejor elección. Si se cierra de entrada, corre el riesgo de elegir equivocadamente, perdiendo años valiosos que podría emplear en enriquecer su círculo de amistades.

Atarse demasiado pronto cierra otras muchas posibilidades, porque el conocimiento del campo de elección del novio o la novia es, necesariamente, muy estrecho cuando son aún muy jovencitos. Con los años, normalmente se amplía el círculo de conocidos y amistades, y la elección puede hacerse mejor. El noviazgo «desenfoca» el trato con el resto de sus amigos y amigas, que resulta de gran importancia para la vida.

Otras razones por las que los expertos desaconsejan noviazgos de chicos y chicas muy jóvenes son las siguientes:

1ª Porque a esas edades se carece de la madurez necesaria para un compromiso serio y permanente.

2ª Porque la perspectiva de un noviazgo necesariamente largo es siempre peligrosa (primero, porque el amor puede enfriarse con el excesivo transcurso del tiempo y, segundo, porque supone un riesgo para vivir bien la castidad o pureza).

3ª Si se trata de un noviazgo absorbente, decae el interés por la carrera o formación profesional.

El noviazgo no deja de ser algo así como una aventura. Se emprende un camino nuevo que conlleva también notables riesgos. Implica dejar las seguridades de lo ya conocido para emprender un experimento hacia *dentro* de cada uno y del otro. Es tan valioso lo que está en juego que no se trata de lanzarse en la primera oportunidad y con quien sea, lo que sería entenderlo frívolamente, a la ligera. El noviazgo es una escuela de amor y una invaluable garantía de la felicidad futura. Si la madurez psicológica es condición para el establecimiento de un noviazgo, la pregunta sería: *¿Tiene el o la adolescente la madurez necesaria para cursar las asignaturas del amor que conlleva el noviazgo?*

¿QUÉ PAPEL DESEMPEÑA LA MADRE EN LA EDUCACIÓN SEXUAL DE SU HIJA ADOLESCENTE?

Desempeña el papel principal. Ese papel consiste, antes que nada, en dar ejemplo de mujer: entonces a la hija le hará ilusión identificarse con la feminidad de su madre. Para ello, habrá requerido la madre ganarse su confianza, dedicarle tiempo, saberla comprender y manifestarle paciencia. Con esos antecedentes podrá esperar resultados positivos de sus conversaciones.

¿Qué temas deberá tratar con ella?

Fundamentalmente dos: los cambios biológicos y los cambios psicológicos que experimentará en la adolescencia. Otros temas –los referentes a la mentalidad masculina, por ejemplo– los podrá tratar, con mayores posibilidades de incidencia, el papá con su hija, explicándole, por ejemplo, el porqué del pudor en el vestir.

Un posible rumbo de conversación entre la madre y la hija adolescente podría discurrir así:

- "Te decía que pronto empezarás una nueva etapa en tu vida, que se llama adolescencia. Adolescencia significa crecimiento. Crecerás más rápido, y tu crecimiento será en varios sentidos: algunos de ellos los podrás ver (por ejemplo, aumentarás de estatura y crecerán partes de tu cuerpo), y otros no se verán a simple vista, sino que sucederán dentro de tu organismo. Por eso quiero platicar contigo, para explicarte algunos de esos cambios.

Esos cambios han sido previstos por Dios para que un día, si Él lo quiere así, puedas ser madre. Esos cambios no son casualidades, sino que forman parte del proyecto de Dios. Son transformaciones buenas, de las que no tienes por qué avergonzarte, aunque hay algunas maneras actuales de presentar a la mujer que enfocan mal ese proyecto de Dios sobre nosotras.

En tu cerebro se producirán unas sustancias químicas llamadas hormonas, que serán enviadas a los ovarios, que están en tu vientre. Tus ovarios producirán otras hormonas, que inundarán tu organismo para que se desarrollen plenamente tus características propias de mujer. Durante tu infancia tu cuerpo era recto y plano, pero cuando llegues a esta nueva etapa empezarás a tomar formas de mujer que te diferenciarán todavía más de los muchachos. Mientras que el cuerpo de ellos se hace anguloso y se marcan los músculos, tu cuerpo adquirirá formas redondeadas; tu piel se hará más tersa y delicada, agradable al tacto, y tu presencia resultará atractiva al otro sexo.

Esas hormonas que se distribuirán por tu cuerpo harán que tus pechos comiencen a aumentar de volumen, primero como dos «bolitas endurecidas» que, al crecer naturalmente, expandirán tu piel y tendrán tejido graso para darles volumen y forma. A veces sufrirás molestias locales, pero si usas ropa adecuada no afectarán en nada tu desarrollo normal. Casi al mismo tiempo notarás la aparición de un vello muy fino en tus axilas y en la región del pubis (es decir, debajo de tu vientre).

También te darás cuenta (y quizá eso te produzca un poco de inquietud) que aumentarán de tamaño tus caderas (Dios ha previsto eso, en su Sabiduría, para que se prepare el espacio necesario para que en lo futuro puedas ser madre). Además, tus piernas se «llenarán» y se tornearán, al tiempo que tus brazos se adelgazarán.

Esos son algunos de los cambios visibles. Pero son más impresionantes los que no se ven a simple vista. Porque, dentro de ti, Dios te irá dando la capacidad de comunicar vidas, y eso a lo largo de muchos años, más o menos desde los 12 ó 13 hasta casi los 50. Dentro de tus ovarios madurarán los óvulos, que son las células femeninas que hacen posible la vida de un nuevo ser humano. Este es el regalo más maravilloso que Dios nos ha hecho en el orden natural. Ni siquiera a los ángeles los hizo partícipes de su obra creadora.

Cada 28 días, aproximadamente, se desprenderá de tus ovarios un óvulo maduro. Desde el momento en que tu organismo sea capaz de ovular, tendrás la capacidad de generar una nueva vida. Si en su camino ese óvulo encuentra una célula masculina, entonces Dios crea un alma humana y la infunde nuevo ser. Pero si no encuentra esa célula, saldrá tu óvulo (junto con otras sustancias) de tu vagina, y presentarás un sangrado. Esto se llama menstruación. La menstruación es un proceso biológico normal, sin más complicaciones que los cuidados higiénicos que requiere.

Cada vez que aparezca en tu organismo el sangrado menstrual, tendrás conciencia de que Dios te ha dado la maravillosa capacidad de transmitir la vida. En algunas culturas antiguas, cuando se daba la primera menstruación de una niña, sus familiares realizaban una auténtica fiesta, porque celebraban el inicio de su capacidad de ser madre. También para ti cada menstruación será motivo de agradecimiento a Dios, y de alegría y esperanza por ese regalo".

Sobre los cambios psicológicos:

- "Las hormonas que tu cerebro libera en esta nueva etapa de tu vida influyen no sólo para el desarrollo de tus características biológicas femeninas, sino que también influirán en tu forma de ser y en tu forma de pensar.

Dios ha hecho las cosas muy bien: así como te capacita biológicamente para ser esposa y madre, capacita tu alma para lo mismo. Hace algunos años, un grupo de científicos hizo un estudio que consistía en pedir a un grupo de niños que armaran con pequeños juguetes una escena libre. Las niñas casi siempre crearon escenarios interiores (una casa, un cuarto, un espacio cerrado), mientras que los niños diseñaban espacios exteriores: montañas, caminos, etc. ¿Qué significa eso?

Que las diferencias entre los sexos no son sólo físicas, corporales, sino que también son diferencias en la forma de ser. Las niñas, por su propia naturaleza, tienden más a la interioridad, al recogimiento: por eso creaban un área para sentirse protegidas, y ponían especial atención a la figura materna, con hijos y con todo lo necesario para atenderlos. Los niños, en cambio, creaban espacios abiertos, con proyección de torres y combates, y daban apariencia de más organización. Así que esos cambios en tu cuerpo y en tu alma vendrán a reafirmar lo que Dios había pensado desde que nos creó: que la mujer está hecha para ser madre, y el varón está sobre todo orientado a la transformación de la naturaleza.

Los chicos son quienes, por su forma de ser propia, conquistan a las chicas. Las chicas son atractivas para ellos, y por eso buscan gustarles. Eso explica también por qué te importará mucho tu apariencia personal. Te inquietarán tu estatura, tu cintura, tus piernas y tus senos, y te interrogarás frecuentemente sobre tu atractivo. Pasarás horas y horas frente al espejo, y observarás desesperada cómo aparecen espinillas en tu cutis, que no son sino la proyección de las hormonas en el tejido graso de tu cara. No deberás preocuparte demasiado, ya que con la madurez llegará la estabilidad de ese fenómeno físico y el acné desaparecerá.

La preocupación por tu apariencia podrá ser exagerada con el bombardeo de propaganda que te presenta «modelos perfectos», que sin tener en cuenta otros factores, presentan una figura femenina comercializada. Por ejemplo, para esa propaganda, el ideal es una chica excesivamente delgada, más allá de los límites normales, con caderas muy estrechas. Ese modelo conlleva, entre otros peligros, una disminución de la capacidad de ser madre, ya que la «cuna» donde se desarrollará el bebé durante nueve meses será muy reducida.

Por eso, las principales cualidades que debes desarrollar son no tanto las físicas, sino las de tu alma. Tu hermosura no ha de reducirse a lo exterior, sino a la totalidad de tu persona. Hay una belleza que emana del interior, y que nace de unos valores que residen en el espíritu: la bondad, la pureza, la sencillez, la serenidad, la cortesía, la hospitalidad... entonces tu belleza interior se transparentará en tu rostro, se reflejará en tu forma de ser y será muy valiosa para quien logre captarla. Esta belleza eleva la categoría de la hermosura física, dándole un toque de distinción y dignidad a la mujer que la posee. Porque si no reverbera en el rostro la belleza del alma, esa mujer nunca será verdaderamente hermosa: en último término, no es el cuerpo lo que es bello, sino la persona que refleja la belleza del alma, y el alma está en todo el cuerpo".

¿QUÉ CONVIENE ADVERTIR A LA ADOLESCENTE SOBRE EL TRATO CON VARONES?

Conviene advertirle las diferencias psicofísicas de los sexos. Que varones y mujeres –aunque seamos iguales en dignidad–, no somos idénticos. La diferencia de sexos nos hace distintos no sólo físicamente, sino también sentimentalmente, funcionalmente, afectivamente, espiritualmente. Que esas diferencias constituyen una fuerza, de modo que el varón y la mujer, en conjunto, representan más que la suma de las partes.

La adolescente ha de comprender que no somos *unisex*. Y que ella, como mujer, debe hacer valer la mayor altura moral con que Dios la ha dotado. El trato que ha de buscar que tengan con ella los chicos no ha de ser igual al que tienen los chicos entre sí. El proyecto al que Dios destinó a la mujer –ser madre, y por tanto, con una mayor dotación para el amor– implica que ella sepa guardar una cierta distancia de respeto hacia los jóvenes de su edad. Eso incluye, por ejemplo, no caer en ciertas chanzas o juegos que, aparentemente inofensivos, la ponen al mismo nivel que los varones.

¿Nos hemos preguntado por qué, en el mundo animal, el macho suele ser más garboso, con más prestancia y belleza que la hembra? Pensemos en un león y una leona, en un gallo y una gallina, en un pavo real y en una pava... la diferencia de hermosura es notoria. En el caso de los humanos ocurre al revés: la bella es la mujer. ¿No querrá con ello Dios hacernos entender su mayor dignidad?

La adolescente ha de comprender, además, que en lo referente a la atracción física, el varón será siempre más impulsivo. Dada su naturaleza activa, tenderá a la relación inmediata. La mujer, por sus características, será siempre más receptiva, esperará que se le considere y valore en toda su dignidad. El varón suele ser potente y arrojado; la mujer habrá de desarrollar, ante todo, su capacidad magnética, pasiva.

El impulso sexual entre varón y mujer es, pues, diferente. La adolescente ha de saber, por tanto, que a veces el varón da amor (o lo finge, en ciertos casos) con tal de obtener sexo. Y que la mujer, si pierde de vista estas realidades, posiblemente dé sexo porque de esa manera espera recibir o aumentar el amor. Y esto se nota hasta en la presentación. Por ejemplo, mientras una chica usa minifalda por deseo de presentarse atractiva (*atraer* es lo propio de su ser mujer), y por tanto de ser admirada (y, en el fondo, amada), el muchacho piensa que ella anda buscando con quién tener relaciones íntimas. Es importante, por tanto, que la adolescente, desarrolle su intuición: aquello que, dentro de ella, le ayuda a visualizar lo que realmente le conviene como persona.

¿Y sobre el modo de entender el noviazgo a esas edades?

La adolescente debe saber también que el noviazgo, a esas edades, es entendido de manera distinta por chicos y chicas. Las mujeres suelen pensar en el futuro; los varones piensan en el presente.

¿Qué razones explican esta diferencia?

Algunas se comprenden al advertir las diferencias psicofísicas entre varones y mujeres (de que hemos venido hablando). Aquí atenderemos tan sólo a una sociológica, de sentido común.

A esa edad, los muchachos no están pensando –ni mucho menos– en casarse. Les faltan años y años para estar en condiciones de mantener una familia. Como eso es aún muy remoto, no les corre ninguna prisa asegurar el futuro. Las adolescentes tampoco están pensando necesariamente en casarse, pero para ellas el horizonte de espera es mucho menor que para ellos. Deseosas de cariño y de seguridad, se plantean al chico como un posible compañero de su vida. Se toman muy en serio el noviazgo y se comprometen en él.

Es importante, pues, que tanto unos como las otras entiendan la posición opuesta. Las adolescentes no deben esperar que el primer galán les declare "amor eterno". Los chicos deben saber que ellas van mucho más en serio y que no es justo engañarlas, cosa que sucedería si les dieran la impresión de algo que en realidad no piensan. Como siempre, la verdad es un atributo divino y faltar a ella es andar por los senderos del demonio.

A medida que ambos crecen, la situación se nivela. Si la madurez de ambos ha sido lograda, saben a dónde van. Pero no mientras tanto.

En resumen: las adolescentes suelen tomarse más en serio las relaciones de pareja. Para los varones, una novia está lejos de suponer un cierto compromiso definitivo. Para las primeras, el novio es un futuro esposo; para los segundos la novia es, sin más, su novia.

Entonces, ¿qué tarea específica le corresponde a la mujer en el noviazgo?

Dijimos que la mujer y el varón lo son *no sólo biológicamente*, sino también psicológica y espiritualmente. Tienen distintos modos de reaccionar y también es diferente su sensibilidad espiritual. Por ejemplo, el varón es menos detallista, menos sensible. La mujer tiene un mayor gusto por lo concreto, es más susceptible (a veces hace de un granito de arena una montaña) y supera al varón en su capacidad de abnegación y sufrimiento. Hay quien asegura también que la mujer es más inteligente que el varón pero, al ser menos arrojada, tiene menos logros externos.

Con base en estas diferencias, la adolescente puede comprender la postura que debe mantener en su noviazgo. Una de las más importantes características distintivas de ella es que, en sus relaciones interpersonales con personas del sexo opuesto, suele predominar la afectividad sobre la sensualidad. En el varón sucede al revés. Esto es así porque el diseño de Dios para ella es el proyecto de ser madre, es decir, el cometido de acoger a la persona humana y llevarla, sobre todo mientras no puede valerse por sí misma, a su completo desarrollo. El varón, en cambio, está más orientado a las cosas que a las personas, está llamado a la transformación de su entorno. Su fuerza física y su impulsividad lo capacitan para aportar más fácilmente el sustento familiar.

Esa orientación de la mujer hacia la maternidad la hace más capaz de descubrir a la persona sobre la cosa. Para ella es prioritario el cariño, la ternura, la comprensión, el apoyo. El varón, en cambio, como principio activo de la relación sexual y por su menor orientación a la persona, experimenta de modo más vehemente la pasión carnal y se encuentra con menos resortes interiores para superarla.

Por lo anterior, es importante que sea ella la principal guardiana de la pureza en la relación de noviazgo. Ella puede lograr más auto-control y, sobre todo, evitar la ingenuidad de pensar que todo lo que busca su novio en las demostraciones de afecto es, simplemente, demostrar su afecto. En esas efusiones sensibles puede haber algo de cariño, pero lo que puede haber sobre todo es una intensa pasión sexual.

¿Será muy grande el cariño cuando no le importa arrastrar a su novia a las profundidades del pecado? Un sacerdote santo recomendaba siempre a las chicas tener preparadas un par de cachetadas para cuando notaran que el apasionado galán estaba ya algo fuera de sí.

A veces podrá ser oportuno que una chica se haga las siguientes preguntas: *Mi novio, ¿me querría igual si yo me contagiara de lepra, y no pudiera tocarme?* O también: *¿Seguiría conmigo si por un infortunado accidente me quedara paralítica? ¿Llega hasta ahí su amor, hasta prescindir de cualquier complacencia física?*

Si estas respuestas son afirmativas, ella podrá tener la seguridad de que 'la quiere bien'. La quiere a ella, no a la 'cosa'; a la persona, no al objeto material.

Si no puede prescindir de la complacencia sensual, ¿no se tratará más bien de un amor egoísta, es decir, concupiscible?

Porque las personas no son nunca «medio», son «fin». Por ejemplo, si he consumido todos los cigarros de una cajetilla, ¿qué hago con ella? Sencillamente la arrojo a la basura: no me interesaba por sí misma, sino sólo para guardar cigarros. Tampoco éstos me interesaban por sí mismos (tanto es así que acabé por quemarlos, fumada tras fumada), sino para mi deleite personal. Si saco un *kleenex* de su bolsita y me sueno la nariz, el *kleenex* lo tiro a continuación, fue usado para mi provecho personal, gracias a él pude liberar mi nariz de un obstáculo que me impedía respirar bien. Los seres humanos no son *klennex,* porque no son cosas y no se deben *usar.* La actitud recta hacia la persona humana se conoce como *norma personalista,* y postula que la dignidad de la persona hace que deba siempre respetarse esa grandeza suya, considerarla como fin en sí misma y no usarla como objeto de consumo. Las personas no se desechan como basura cuando dejan de apetecernos.

Aplicar a la relación de noviazgo la norma personalista no hará sino llevarnos a concluir que nunca debe emplearse una novia como remedio para satisfacer un deseo carnal. Su novio deberá buscar medios para fortalecerse en la virtud de la santa pureza. Si él intenta propasarse, ella debería hablar de todo esto con claridad, y decirle que si no es capaz de verla como fuente de pureza, no tiene nada que hacer con ella. Estaría impidiéndole el cumplimiento de su propio fin.

¿Y PARA HACER COMPRENDER EL VALOR DE LA VIRGINIDAD?

Quizá primero habrá que hacer comprender que la virginidad es ante todo un valor del alma. Alguien puede serlo físicamente, y sin embargo no serlo ante quien se entrega como esposa. En otras palabras, la virginidad es una especie de reflejo del amor indiviso: un amor que se entrega una vez en la vida y que se manifiesta en la donación de los cuerpos dentro del ámbito matrimonial.

Por el contrario, suele identificarse la virginidad al himen íntegro. La virginidad se pierde cuando una chica se acuesta con un chico, y no cuando se rompe el himen. Puede haber acto sexual completo sin que se rompa el himen; es más, puede haber fecundación y embarazo con el himen íntegro, ya que esta pared no es absolutamente hermética. Basta que un solo espermatozoide logre entrar a la vagina para que haya fecundación. Por eso la virginidad, más que un asunto corporal o biológico, es un valor espiritual. El valor de quien ha sabido mantener íntegro su corazón para darlo, junto con su cuerpo, a la persona con la que compartirá su vida.

Ahora bien, en vista de la liberalización de costumbres, es conveniente que las chicas estén preparadas para establecer límites en sus noviazgos. Algunas pautas que podrían señalárseles son las siguientes:

1) No salgas sola con nadie antes de los dieciséis años.

2) Cuando salgas, procura salir en grupo (así puedes salir con más de un muchacho a la vez).

3) No bebas (en el 90% de las violaciones está involucrado el alcohol).

4) Cuando comiences una relación (es decir, cuando un chico se te declare), plantéale tu idea del noviazgo. Dile claramente lo que esperas de ese noviazgo: un trato de conocimiento para lograr el amor; que tú buscarás amarlo y esperarás su amor. Y que eso no incluye el sexo. Sería muy bueno que antes de que tú aceptes su declaración, él haya estado de acuerdo contigo.

5) En esa relación de noviazgo, sé coherente. Si estableciste *límites,* no cedas. Ni siquiera un poquito. Empezar tratos sensuales –besos pasionales, caricias, etc.– es la manera habitual de acabar en la cama.

6) Busca la diversión *sana*. Procura fomentar en tu relación pasatiempos enriquecedores, como los deportes, la música, las actividades de diálogo y opinión.

7) ...pero sobre todo procura llenar tu existencia de amor genuino. Haz el esfuerzo de llenar tu vida de amor hacia los que te rodean. Procura dedicarte a alguna labor social en la que puedas colaborar aliviando la pobreza, la ignorancia, la soledad, el dolor. El contacto con la miseria humana, con la enfermedad y la muerte, además de desplegar tus capacidades en el amor, te ayudará a comprender que la

carne no es sólo ocasión de placer y belleza, sino también de corrupción, de sufrimiento y de muerte.

8) … y como la razón última de todo, conservarás tu virginidad hasta el matrimonio si llenas tu corazón del amor a Jesús. Por lo que hemos venido diciendo, estarás de acuerdo en que la tentación de la unión sexual tiene mucho que ver con el deseo de amar y ser amada, de sentirte feliz, de experimentar el gozo de la vida verdadera. Jesús dijo: "si no comen la Carne del Hijo del hombre y no beben su Sangre, no tendrán vida en ustedes"[25]. El deseo sexual tiene mucho que ver con tener o no tener "vida en nosotros". Si esa vida de Jesús la tienes en ti con intensidad, si tu unión con Él es íntima y continuada, estarás perfectamente protegida desde lo más profundo de tu yo. No sólo llegarás virgen al matrimonio, sino que serás verdaderamente feliz.

¿Y SI YA PERDIÓ LA VIRGINIDAD?

Habrá que alentarle la esperanza. La virginidad es, ante todo, una actitud del alma.

Perdida la virginidad física, siempre es posible recuperar la capacidad de entregar el corazón completo. Podremos vislumbrarlo en el caso de aquella joven de 25 años que, cuando

[25] *Juan* 6, 51.

su novio le propuso matrimonio, ella le reveló: «Tengo que decirte que a los 15 años perdí la virginidad. Y tengo que decirte también que en estos últimos 10 años he esperado por ti». Esa chica, ¿puede decirse que es virgen en su alma? ¿Será capaz de remontar el daño afectivo ocasionado por ese desafortunado evento, y entregarse a su futuro esposo en cuerpo y alma?

Sí, sí es posible. Repetimos que la virginidad es, ante todo, una actitud del alma. Los padres y los educadores, la familia, la Iglesia y las asociaciones matrimoniales de recta orientación, podrán siempre alentar a la esperanza a la joven que haya perdido ese valioso don corporal: a ella le será siempre posible recomponerse para el don de la entrega del corazón entero.

Una chica preguntó en cierta ocasión: *¿Puedo ser virgen reciclada?* [26].

Sí –podríamos contestarle–, puedes ser virgen reciclada. No porque te sometas a ninguna operación quirúrgica sino porque puedes lograr un corazón tan puro como el que más, independientemente de tu historia anterior. Incluso puedes llegar a ser una gran santa. Muchas mujeres con pasado tormentoso lo han logrado, luego de una intensa vida espiritual y un vivísimo amor a Jesucristo. Te bastará pensar en María Magdalena, cuya fiesta celebra la Iglesia el 22 de julio. Era una prostituta, Jesús la liberó de siete demonios y le perdonó

[26] RICARDO SADA F., *La pureza de las jóvenes*, Minos Tercer Milenio, México 2008, pp. 162-163.

sus pecados, porque se abrió al amor que el Señor vino a ofrecer al mundo. Puedes pensar en santa Margarita Cortona, que abandonó a su esposo y a sus hijos para irse con su amante. Años después, encontró asesinado a éste y fue tocada por la gracia de Dios. Pasó el resto de su vida haciendo penitencia y hoy la veneramos en los altares. Puedes pensar en santa María egipciaca, una prostituta de Alejandría en el siglo III, que terminó su vida como ermitaña, y ahora es contada en el número de los santos.

Para el perdón divino no existen límites. Dios toma tu pecado. Tráelo a la Cruz. Jesús murió para borrar eso. Si lo purificas con tu arrepentimiento y tu conversión de vida, ese pecado será una *felix culpa,* una culpa feliz porque te sirvió para encontrar a Jesús. Ese pecado no existirá más para ti. No te lleves tu dolor. Déjalo ante la Cruz. Si no eres virgen, habrás de decírselo a aquel con quien vayas a casarte. Pero ese pecado ya no existirá para Dios.

Sí, puedes ser una virgen reciclada. Quiere decir que, a pesar de haber perdido tu virginidad física, puedes ser virgen en tu espíritu. Lo han experimentado chicas que han sido violadas, forzadas contra su voluntad a cometer una fornicación. Pero también jóvenes que se han dejado llevar por un noviazgo mal entendido o que han tenido aventuras sexuales con distintos hombres y muchas veces.

Si sabes amar a Jesús, y a amarlo mucho, Él podrá perdonarte mucho. Le darás la alegría del reencuentro, y no sólo estarás feliz tú sino sobre todo Él, pues en los reencuentros es siempre más feliz quien más amó".

¿CÓMO HACER VER A LA ADOLESCENTE LA IMPORTANCIA DEL PUDOR EN EL VESTIR?

Algunas ideas que podría tratar la mamá con su hija adolescente respecto al pudor son las siguientes:

"Desde que entraste a la adolescencia, tú te has percatado que tienes un mundo más propio, más tuyo. Eso es una gran riqueza que te capacita para escuchar la voz interior de tu propia conciencia.

Te gusta estar sola, y es frecuente descubrirte soñando. Todo eso es muy bueno; a veces incluso resulta útil apuntar esos sentimientos, llevar algo así como un diario. Todo eso lo ha previsto Dios para aumentar tu capacidad de amar.

Ese mundo interior tuyo es, pues, una gran riqueza. Manifiesta tu valor como persona. Por tanto, cultívalo y protégelo, procura que no se te pierda y que nadie te lo destruya.

Mira. Precisamente para evitar que alguien pisotee nuestra interioridad, tendemos a esconderla. No nos gusta que se publique a gritos y en medio de la plaza pública lo que sentimos y lo que tenemos en lo profundo. La riqueza de nuestra interioridad desea permanecer velada, ya que podría ser malinterpretada o incluso objeto de risa. Eso se llama «pudor»: una especie de defensa de los valores superiores, defensa que busca protegerlos de su posible pérdida o disminución.

El pudor se refiere a cualquier aspecto de la interioridad humana. Referido al mundo de la afectividad, del amor y de la vida, se llama pudor sexual. Por eso tenemos la tendencia a ocultar o disimular ciertos valores propios, que no se desea perder. En este sentido, tu pudor sexual viene a ser la natural tendencia a ocultar tus valores sexuales en la medida en que ellos constituyan en la conciencia de otra persona un "objeto posible de placer". Es decir, se trata, con el pudor, de evitar que te vean como si fueras una cosa. La mujer no es un conglomerado de órganos sexuales, de partes anatómicas que pueden emplearse del mismo modo como se divide un pastel, se bebe una cerveza o se come una pizza. No, no es un objeto, algo así como una escoba o un trapeador que se usa para algo y se abandona luego. No: la mujer es una persona humana, querida por Dios en sí misma (es un fin en sí misma), un ser único aunque esté compuesto de dos realidades: el cuerpo y el alma, con un destino sobrenatural, eterno.

Tu alma está en todo tu cuerpo. Por eso cubres tu cuerpo: porque no quieres que tu alma, tu mundo interior, esté a la vista de todos. Si no lo hacemos, nos verán como una cosa para ser usada, como una mercancía.

Tú sabes –como te ha explicado tu papá– que el modo de ser del varón es, en este aspecto, bastante distinto al de la mujer. En él, siendo como es más acentuada la sensualidad que hace considerar al cuerpo como objeto posible de placer, el sentimiento interior de su propia sensualidad es una fuente de vergüenza. Tiene, por tanto, vergüenza de sentir así los valores propios de la mujer y vergüenza de los valores sexuales de su propio cuerpo. Por eso el varón siempre se viste cuidando su pudor, porque se sabe muy vulnerable. En la mujer, en cambio, la afectividad suele superar a la sensualidad. Y eso es precisamente lo que puede hacer difícil para ella el pudor. Al no encontrar en sí misma una sensualidad tan fuerte como la del varón, siente menos la necesidad de esconder su cuerpo, no acierta a comprender que su cuerpo pueda ser considerado tan sólo cómo objeto posible de placer.

Es importante, pues, que conozcas cómo reaccionan los varones. Eso te servirá para cuidar tu pudor. Una falda o un pantalón muy ceñidos, por ejemplo, o un traje de baño atrevido, esconden el verdadero valor de la persona y pueden hacer que tu presentación guste sólo por los valores sexuales, no por tu ser completo. Es casi inevitable que esos modos de presentarse no provoquen la reacción carnal del varón. Ellos son particularmente débiles en este aspecto. A la vista del contorno de un cuerpo de sexo femenino no se le despierta una inocente complacencia o un inocente amor. En realidad, lo que se le despierta es el deseo carnal. Quizá entonces te *finja amor*, porque lo que quiere realmente es sexo.

Eso no quiere decir que sea malo arreglarse, pintarse, etcétera. Por supuesto que no. Es algo intrínseco al ser mujer: su hechizo consiste, más que en el impulso, en la atracción.

La mujer es aquella que no vence por fuerza de impulsión sino por fuerza de magnetismo. Por eso importa tanto su apariencia, su capacidad de atraer.

Tú sientes el anhelo de ser deseada, de ser amada. Todo eso está muy bien. Pero has de escuchar las voces de tu intuición femenina, no las del medio ambiente superficial que fundamenta todo en el placer de los sentidos, en atrapar el deleite inmediato. Tu intuición femenina te dice que, para ser amada, te hace falta algo más que un escote sugerente o un cuerpo escultural. Lo que realmente te hará atractiva para quien te quiera bien (no sólo para quien *te desee*) no se limitará a tus atributos físicos. Tu belleza espiritual y tus cualidades intelectuales y morales te harán parecer realmente atractiva a los muchachos que busquen una relación sana y profunda.

Será mucho más interesante para un pretendiente si te encuentra sensata, ecuánime, que sepas conversar, centrada, con la pureza de tu alma reflejada en tus ojos y en la expresión de tu rostro. Un 'buen partido' no estará buscando una Venus de Milo o una Diana Cazadora que rebuzna en cuanto le preguntan su nombre, o que lo eriza con risas estentóreas y actitudes vulgares. Un *buen partido*, un chico realmente valioso, suele alejarse como de la peste de las chicas resbalosas".

Un día que Tomás de Aquino observaba los esfuerzos de su hermana Teodora para resaltar la belleza de su rostro, éste le dijo: "Ustedes las mujeres se preocupan mucho por la hermo-

sura exterior. Si se interesaran por la belleza de su alma, ésta repercutiría de inmediato sobre su rostro, y lograrían así ser también físicamente hermosas".

Entonces, ¿cómo vestirse?

El modo de presentarte ante los demás es un mensaje que envías. Por ejemplo, si un muchacho practica el fisicoculturismo y usa playeras de mangas cortas y estrechas, envía el mensaje de su fuerza física: le interesa hacer notar a los otros que sus músculos están desarrollados. Si una chica tiene ojos bonitos y busca resaltarlos a base de un adecuado maquillaje, está enviando el mensaje de la belleza de sus ojos. Hacerlo no es malo: a quien la vea limpiamente recibirá, en último término, el mensaje de su alma, que expresa a través de esa mirada.

Alguien decía –refiriéndose a los bikinis– que el icono del empleo de esa prenda es, en América Latina, Brasil. Y explicaba también que en Brasil hay diseñadores de trajes de baño de dos piezas que han logrado presentarlos con enorme calidad de diseño en estilos y colores... al tiempo que con decoro y atractivo. Quizá sea éste el reto: que la moda se imponga no por su sensualidad, sino por su altura.

Es bueno que pienses qué tipo de mensajes quieres enviar. Quienes te vean entenderán tu mensaje: cómo te consideras, cómo te valoras. Si lo que resaltas es el buen gusto, la sencillez, la elegancia y el pudor, quizá acabes por ser comprendida así: distinguida, interesante, sencilla, llena de riquezas interiores. Si, por el contrario, lo que resaltas son las partes que determinan tu sexualidad, estás ofreciendo valores sexuales. Estos valores aparecerán al margen de quién seas tú, con independencia de los valores de tu alma, las riquezas de tu vida afectiva, las tradiciones y logros de tu familia, tus aspiraciones más íntimas y tus más acariciados sueños: todo eso no importará demasiado.

La chica que actúa mostrando su carne lo hace pensando que aquello es una especie de 'gancho' para atraer. Pero piensa tú que *lo único* que atraerá será su carne. No *ella*: su *carne*.

¿ES OPORTUNO CARGAR LA CONCIENCIA DE QUIENES NO ESTÁN DISPUESTAS A CAMBIAR MODAS PROVOCATIVAS?

Será conveniente que no permanezcan en la ignorancia que, si se da, sería en todo caso una ignorancia afectada. Porque no podemos negar la existencia y la gravedad del 'pecado de escándalo', que consiste en ser *causa del pecado de otros*. Dijimos que las diferencias psico-físicas de varones y mujeres hacen que la reacción ante estímulos corporales sea mucho más rápida y violenta en los primeros que en las segundas. Es decir, que a ellos les basta una pequeña incitación para despertar su libido. No necesitan una montaña de sugestiones para aplastar su gran resistencia. Les basta una pequeña incitación, tan pequeña que a veces las chicas les resulten causa de escándalo... sin saberlo.

Una chica vestida provocativamente puede ser causa de escándalo, y caer en aquello que decía Jesús: *Es imposible que no vengan escándalos; pero, ¡ay de aquel por quien vienen! Más le vale que le pongan al cuello una piedra de molino y sea arrojado al mar, que escandalizar a uno de estos pequeños* [27].

A veces no hay mala intención; tan sólo ingenuidad y mucha vanidad. Pero el costo de esa vanidad ingenua puede traer graves consecuencias para esta vida... y para la eterna.

Por ello será conveniente que el papá varón sea quien explique a la adolescente las cuestiones relativas al pudor, deteniéndose particularmente en la psicología masculina. El papá podrá explicarle cómo reaccionan los varones ante los incentivos sexuales, que es distinto al de las mujeres. Viniendo la explicación de su padre, los resultados serán más eficaces. Comprenderá que, al decírselo un varón, y un varón que la quiere más que a su propia vida, lo que le dice es verdad. Es una verdad que le ayudará a comprender cuánto vale ella, y por tanto dar fruto de acuerdo a su dignidad espiritual.

Mantener claridad de ideas en este campo no es fácil. La presión de los grandes emporios y la influencia del mismo demonio dificultan las cosas. Decía un papá: *Mi*

[27] *Lucas* 17,1-2.

esposa no encuentra ropa adecuada para mis niñas. Nosotros no podemos darnos el lujo de comprar ropa de marca, y la ropa barata es impúdica casi en su totalidad. ¡Y es ropa de niña! Por eso mi esposa ha comenzado a comprar tela para confeccionar ella misma sus prendas. ¿No suena como algo diabólico que los productores de ropa traten de vender su producto a base de excitar las bajas pasiones de quien mira a aquellas mujeres... desde niñas?

ANTE EL RIESGO DE EMBARAZOS DE ADOLESCENTES, ¿QUÉ IDEAS PUEDEN USARSE PARA EXPLICAR LA IMPROCEDENCIA DE TALES COMPORTAMIENTOS?

Una primera idea podría ser la verdad central que hemos recalcado a lo largo de estas páginas: la inseparabilidad entre sexualidad, amor y vida. Las prácticas de la sexualidad son mucho más que la mera gratificación genital. Una unión coital significa regalo, muestra de confianza, pertenencia, donación, afecto. Es la relación más profunda a que pueden aspirar dos seres humanos, y supone en ambos la madurez de auto-poseerse para poder luego darse. Si no se plantea así, la sexualidad se reduce a su componente de placer físico y la donación, la entrega, la compenetración psíquica –en definitiva, el amor– o no existe o pasa a segundo plano.

Una segunda idea puede girar en torno al diferente planteamiento que la unión coital tiene para cada sexo. La chica debe saber que, para los varones, por su distinta conformación psicológica, la importancia del valor carnal (placer sensible) es superior a la que puede anhelar una mujer. Para la mujer, lo central es la entrega del alma, no el placer físico. Por eso ellas, cuando ceden a las presiones del amigo (pensando que «todas lo hacen», o porque temen perderlo), tienen pocas probabilidades de disfrutar. La sensualidad en la mujer despierta poco a poco, y a veces tarda años en desarrollarse plenamente. Así que para ella la primera experiencia sexual suele ser una decepción. Relaciones prematuras pueden ofrecer cierto placer corporal, pero atrofian facetas sentimentales más profundas, aplanan el amor e incapacitan paulatinamente a ambos para el amor auténtico.

La madre puede también argumentarle a la chica que, a su edad –12 ó 13 años– ya puede tener un hijo, puesto que el desarrollo de los ovarios se adelanta al resto de los órganos. Desde el punto de vista de sus células germinales puede ser madre, pero no desde el punto de vista anatómico y menos desde el psicológico. Anatómicamente sus otros órganos no se han desarrollado del todo, y sus caderas o sus senos no han alcanzado el crecimiento preciso. Pero sobre todo a esa edad ella no tiene aún la madurez psicológica necesaria para cuidar y educar a un hijo. Un embarazo temprano produce todo tipo de trastornos en el orden social, familiar y personal. Frustra los proyectos futuros en el orden académico o laboral.

La unión sexual es expresión corporal del amor. La capacidad de amar es lo más grande e íntimo que tiene la persona humana. En la unión coital la intervención del cuerpo da un carácter irreversible a la relación, porque uno se entrega del todo. Entregar el cuerpo sin haberse comprometido para siempre es como prostituirse.

La madurez necesaria para el amor y el matrimonio se alcanza, en las chicas, alrededor de los 18 años. En los varones, varios años después, entre los 22 y los 25.

Una síntesis de razones que la madre podría esgrimir para resaltar la improcedencia de las relaciones prematrimoniales es la siguiente:

1. Si una joven no se casa con el novio (o los novios) con quien tuvo relaciones, ¿qué podrá pensar de eso el hombre que un día sea su esposo?

2. El placer sexual lo puso Dios como 'regalo' para el matrimonio. Si ese regalo ya perdió su novedad, el encanto que tienen todas las cosas cuando se desean como una promesa, ¿afectará en la vida matrimonial? Piensa, por ejemplo, en un niño que ha jugado con un maravilloso juguete durante meses. El día de Navidad ve un regalo envuelto en resplandeciente papel de celofán, con un gran moño. Lleno de ilusión abre el paquete y... ¡oh desencanto! es el mismo juguete de siempre. ¿Qué será la Navidad para ese niño? Alguien decía que por eso las novias, el día de su boda, se visten de modo especial. Ese modo especial semeja un 'regalo', es decir, están 'envueltas' como tales. La novia no obsequia al novio ningún regalo el día que se casan –los parientes sí: la estufa, la TV o lo que sea. El regalo de la novia es ella misma. Y viceversa. ¿No es decepcionante abrir un regalo carente de novedad y misterio?

3. Dios previó que la unión corporal, el descubrimiento de esa gratificación física, fuera un poderoso aliciente en las penas, cansancios, limitaciones mutuas, que tendrán que sobrellevar juntos el resto de sus vidas. Ese «combustible», por llamarlo así, se ha ido consumiendo antes, y no tendrá la fuerza de transformación suficiente para cuando se necesite.

4. Para comprender el 'desgaste' que conllevan las relaciones prematrimoniales, piensa ahora en tus futuros hijos e hijas. Piensa un poco en el ambiente familiar que desearías en tu hogar. ¿Cómo educarás a los tuyos para que estén precavidos contra los peligros en este terreno? Sobre todo cuando lleguen a la adolescencia, cuando quieran salir con sus novios, cuando elijan los lugares de diversión o los sitios para vacacionar. Piensa cómo podrás pedirles algo que tú no supiste ni quisiste hacer.

5. Entregando tu cuerpo corres el riesgo de ser *utilizada*. Pierdes la seguridad de que tu novio te querrá por ti misma, independientemente del placer que puedas procurarle. Si evitas que se meta 'ruido' en tu noviazgo (es decir, haciendo que te valore por tu espíritu más que por tu carne), él podrá verte siempre en tu valor de persona, no como cosa u objeto de utilización. Las personas son siempre fines en sí mismas, no medios. Y, mucho menos, medios para satisfacer egoísmos.

6. Si él es capaz de esperar al matrimonio, también será capaz de tener dominio luego de casarse. Existe una castidad conyugal, como existe una lujuria conyugal. Si tu

novio vive la castidad en el noviazgo, muy posiblemente la vivirá también en el matrimonio. Sus relaciones serán armoniosas. Si no, si no ha sido capaz de dominar su pasión sexual cuando debía hacerlo, ¿tendrás garantías suficientes de que te será fiel? Además, por lo que respecta a los encuentros íntimos dentro de tu matrimonio, piensa que si no supo controlar antes su apetito sexual, puede convertirse para ti en un egoísta que busque dichos encuentros independientemente de las circunstancias. No por amor a ti, sino sólo para satisfacer sus apetitos.

7. El contacto sexual completo tiene como fin la procreación. Es obvio que haciéndolo antes (aunque utilicen preservativos) corres el riesgo de embarazarte. ¿No te avergonzarías ante tu hijo cuando te cuestione por qué nació fuera del matrimonio?

¿CÓMO ABORDAR LOS TEMAS DE LA SEXUALIDAD CON LOS ADOLESCENTES VARONES?

Antes de que la pubertad sorprenda al muchacho, es muy aconsejable que éste tenga ya noticia de los nuevos impulsos que sentirá en su cuerpo, para que pueda hacerles frente con serenidad y reciedumbre. La masturbación puede comenzar en la pre-adolescencia, y es en esa etapa donde han de ponerse los medios para llegar antes y ayudar a evitarla. Para la educación sexual de los adolescentes varones conviene tener en cuenta que en este período se estabilizan o se refuerzan los hábitos contraídos anteriormente. Es conveniente también advertir que la pre-adolescencia –y la adolescencia– son períodos de tendencia natural a la generosidad y al amor limpio. Son también los tiempos oportunos –dijimos antes– para que el educando adquiera una clara toma de postura ante Dios y afiance su sentido de la vida.

La temática que el papá aborde con su hijo varón pre-adolescente debe abarcar tanto los cambios *biológicos* que experimentará como sus cambios *psicológicos*.

Cambios sexuales referidos al aspecto biológico:

Ya en el período llamado *pre-pubertad* comienzan a formarse en el cuerpo del chico las hormonas masculinas, principalmente la testosterona, responsables del desarrollo definitivo de los órganos sexuales. La producción de hormonas aumentará considerablemente en la pubertad.

Los cambios en su estructura corporal serán muy significativos: el adolescente ha de saber que experimentará el aumento de estatura (el clásico "estirón") y de apetito, junto con la aparición del vello en cara, pubis y axilas. Su laringe aumentará de tamaño, sus cuerdas vocales se alargarán y experimentará cambio de voz. Observará un agrandamiento temprano de sus tetillas (que puede durar un año o dos), y que lo avergonzará enormemente. Se desarrollarán sus órganos genitales y se producirán por primera vez los espermatozoides capaces de fecundar. Esta producción de hormonas se mantendrá hasta la alta vejez y hará que su aspecto se mantenga masculino.

Será testigo de la primera actividad de los órganos genitales. Debe advertírsele que tendrá derrames, por lo regular durante la noche, acompañados de sueños eróticos y sensación de placer. Ese derrame se llama *polución,* y es algo natural. Que eso se repetirá de cuando en cuando, y manchará la ropa y las sábanas. Pero las personas mayores lo saben y no tiene nada de particular. Se cambia la ropa y ya está.

Un posible modelo de conversación sería así:

- "Has ido creciendo y ya, a tus 11 (ó 12, 13 años) comienza la etapa en que pasarás a ser adulto, con todas las características de los varones. Te irás interesando más por las cosas de la gente grande y te aburrirán los juegos de ahora. Pronto, en las partes de tu cuerpo que distinguen al hombre de la mujer, vas a experimentar cambios. Te aparecerá pelo ahí, y también en tus axilas, y te comenzará a salir barba. Tu voz irá también cambiando. Pero sobre todo aparecerá una fuerza nueva, la semilla del varón de la que otras veces hemos hablado, y vendrá acompañada por algunas sensaciones. Cuando aparezcan, tendrás lo que se llama un derrame, y notarás un líquido blanco, pegajoso, que expulsa el pene. Casi siempre sucede cuando estamos dormidos. No te extrañes: se inicia tu madurez sexual. Esos cambios señalan la aparición de tu fuerza viril, que se irá madurando para que puedas ser padre.

En la vida todo necesita un tiempo para completarse. Así como has tardado seis años en terminar la primaria, y te faltan tres para acabar la secundaria, así la capacidad que Dios da para ser padres se va completando poco a poco. No es bueno que uses de ella antes de tiempo, porque perjudicarías tu organismo e irías en contra del plan de Dios. Pasa algo semejante a cuando te comes una fruta verde: si lo haces, te enfermas. Igual con la sexualidad que Dios nos ha dado: si la usamos antes, nos enferma el alma.

Cuando tú eliminas orina por el pene, no sientes ninguna sensación especial. Pero cuando experimentes que el pene se congestiona, se agranda y se endurece poniéndose erecto, puede expulsar el líquido blanco llamado "semen" (que contiene los espermatozoides). Entonces se experimentan sensaciones placenteras.

Esas contracciones placenteras deben reservarse para las relaciones matrimoniales, pues es allí donde cumplen su misión de medio para el fin, que es engendrar un hijo y unirse a la esposa con felicidad y amor. Pero provocar la expulsión de ese líquido por el puro placer es cometer un pecado, algo contrario al plan de Dios. Eso se llama masturbación y altera el sentido y la finalidad de lo que Dios quiso. Es importante comprender que ese líquido no es como cualquier otro, sino que encierra el misterio de la vida"[28].

Cambios sexuales referidos al aspecto psicológico:

La educación de la afectividad, ya iniciada anteriormente, cobra aquí un carácter central: si el adolescente es consciente del amor que recibe y aprende también el amor oblativo, logrará una adecuada adaptación social y, además, logrará también que su pubertad y su juventud transcurran serenamente en el ámbito sexual.

El chico deberá comprender que la atracción por el otro sexo se presentará de modo intenso. Debe saber que es normal, pero también debe saber que –por ser persona humana, hijo de Dios– ha de saber encauzar esos impulsos y tendencias.

[28] Dependiendo de la capacidad de comprensión del adolescente, el padre puede extenderse con una explicación como ésta: "En tu organismo se producirán unas sustancias químicas llamadas *hormonas.* Es algo completamente natural, que ocurre tanto a los varones como a las mujeres. Dependiendo del sexo, se producen más de un tipo que de otro, aunque los varones producimos también hormonas femeninas y las mujeres hormonas masculinas. Por la influencia de las hormonas femeninas que tu organismo producirá (claro, en una proporción mucho menor que las masculinas), en un principio notarás, inquieto, que se inflan y crecen tus tetillas. Pero esto será pasajero, pues tus hormonas masculinas inhibirán ese crecimiento glandular, y propiciarán más el desarrollo muscular que, en tu cuerpo, te dará forma y fuerza, con una espalda ancha y unos brazos fuertes".

Un posible modelo de conversación podría desarrollarse así:

- "Los seres humanos siempre tenemos necesidades, y los apetitos o tendencias son los encargados de hacérnoslo saber. Por ejemplo, como tenemos necesidad de sobrevivir, aparece el apetito del hambre, que nos indica que es importante para nosotros comer. El hecho de sentir cansancio nos indica que es el momento de recuperar fuerzas y descansar.

  Tú notarás a medida que crezcas que aparece el apetito sexual, que es un llamado para que los humanos continuemos nuestro género, es decir, que no se acabe la especie humana sobre la tierra. Y así como la alimentación o el descanso son agradables, así también la sexualidad se presenta como una inquietud placentera. Dios, a través de la naturaleza, proporciona esos incentivos para que la continuación de la vida se ejecute gustosamente.

  Si la sexualidad significara un sufrimiento físico, o si fuera desagradable, muchos de los seres que pueblan la tierra no existirían. Dios ha puesto un deleite –que es bueno y lícito– para que su plan se cumpla adecuadamente.

  Como la sexualidad es agradable, puede fácilmente desordenarse, así como se pueden desordenar tus otras tendencias, si te descuidas. Puedes aficionarte demasiado a la comida, y engordar mucho, e incluso enfermarte. Puedes ser atrapado por el deleite del descanso, y descansar de más, descuidando tu fortaleza física y volviéndote una persona blanda y perezosa. Lo mismo con las cosas del sexo. Pero aquí de modo más grave que en el placer de comer o descansar, porque se refiere al origen de la vida. Por eso los males que se siguen de esta tendencia, cuando se desordena, causan muchísimos daños en la humanidad: desde los niños sin padres conocidos hasta la muerte que produce el SIDA (si es que se contrae a través de las relaciones sexuales, ya que también el SIDA puede transmitirse en transfusiones sanguíneas). Esta tendencia puede contribuir a tu felicidad o hundirte en el fracaso.

Si vives con orden y limpieza tu sexualidad, si luchas por ver a las mujeres no morbosa sino limpiamente, en una palabra, si orientas tu sexualidad al amor dentro del matrimonio, esas fuerzas de atracción contribuirán a tu crecimiento sano en cuerpo y alma. Pero si abusas de ellas, buscando ese placer por el puro placer, distorsionarás tu relación con las mujeres, tendrás dificultad para vivir todas las demás virtudes y estarás abriendo una puerta ancha a tu infelicidad".

Y... ¿PARA AYUDARLES A COMPRENDER LA CASTIDAD A LOS ADOLESCENTES VARONES?

La preparación remota para que el adolescente comprenda la castidad procede de sus vivencias en los ámbitos de amor: tanto del amor divino como del amor familiar, encarnado en los padres. Con ese bagaje, el chico estará capacitado para comprender las explicaciones al respecto.

Al mismo tiempo, es importante tener claro que la castidad es una virtud «resultante»; es la «punta del iceberg» de todo un mundo interior. En otras palabras, la castidad se comprende y se vive si se comprenden y se viven otras virtudes: la laboriosidad, la generosidad, la sinceridad, la fortaleza, la humildad... No, en caso contrario.

En las conversaciones con los hijos, el padre que busque resaltar esta virtud podrá explicarles que la castidad no es menosprecio ni rechazo de la sexualidad o del placer sexual, sino fuerza interior y espiritual que libera a la sexualidad de sus elementos negativos (egoísmo, agresividad, atropello), y la promueve a la plenitud del amor auténtico. En otras palabras, es la humanización o valorización de la sexualidad como afectividad leal, comprometida, respetuosa de la situación de cada uno. Es maduración interpersonal afectiva en armonía de valores.

> *"Las alas -también las de esas aves majestuosas que se remontan donde no alcanzan las nubes- pesan, y mucho. Pero si faltasen, no habría vuelo (...) Si notáis el zarpazo de la tentación, que se insinúa presentando la pureza como una carga insoportable, ¡ánimo!, ¡arriba!, hasta el sol, a la caza del Amor"*[29].

[29] SAN JOSEMARÍA ESCRIVÁ, *Amigos de Dios*, n. 177.

Con ese fundamento, el papá explicará al adolescente que el impulso sexual en el hombre no está ligado –como en los animales– a determinadas estaciones o épocas del año, sino que está presente siempre. Mientras que los animales están expuestos incondicionalmente a su instinto, el hombre –dotado de inteligencia y voluntad propias–, decide hasta qué punto cede a su impulso sexual y hacia dónde lo encamina. Al contrario de los animales que no son conscientes de lo que hacen cuando obedecen a su instinto, el hombre tiene conciencia total de sus actos. La unión genital entre un varón y una mujer no es un acto instintivo, sino un acto de unión de personas que implica la unión de sus cuerpos y sus almas. Por eso se realiza «cara a cara», como si el Creador hubiera querido evitar todo anonimato.

Por lo anterior, la excitación sexual en los seres humanos no se desencadena sólo por simples reflejos, sino también por las palabras, las imágenes, las lecturas. Hay una profunda implicación psíquica en la vida sexual. Esto explica por qué el placer corporal sólo satisface plenamente y hace feliz cuando es percibido y sentido también por el otro. Y esto solamente sucede cuando hay amor. La sexualidad corporal practicada sin amor es parecida a la sexualidad de los animales. El animal no puede elegir, el hombre, sí. El hombre tiene que *querer* hacer una cosa; esto es lo propio del ser humano, lo que lo hace libre.

En sentido cristiano, la castidad es don del Espíritu Santo, que madura la potencialidad sexual convirtiéndola en afectividad, en *agapé*, en respeto del proyecto creativo. Precisa la ayuda de la gracia, que hace posible la respuesta de amor que cada uno está llamado a dar. Es al mismo tiempo don divino y conquista personal.

¿DE QUÉ MODOS PUEDEN SUPERAR LOS ADOLESCENTES LOS ASALTOS DE LA IMPUREZA?

De que un adolescente viva bien la castidad en estos años depende en buena parte su pureza en la juventud y en su edad adulta. La pureza procede del alma y, por ello, *la educación en el amor* –que radica en el alma– resulta imprescindible para que el chico supere dichos «asaltos» que pueden ser, por largas temporadas, particularmente vehementes.

Vivir en el amor a Dios y al prójimo: saberse depositario de él y poder, a continuación, desplegarlo. En la entrega a Dios en la oración y los sacramentos, y en el servicio a los demás, tanto en su primer ámbito –el familiar– como en el social, estriba la solución de fondo de la problemática afectiva y sexual.

Así, pues, la mejor manera de asegurar al adolescente la virtud de la castidad consistirá en ayudarlo a ubicarse habitualmente en la esfera del amor: una formación abierta, que lo oriente hacia el prójimo y le evite el egocentrismo, es condición precisa. Y esto es también tarea prioritaria de los padres; sólo derivadamente, de la Iglesia, la escuela, el resto de la familia, el grupo social, los amigos y amigas.

Desde el punto de vista conceptual, las consideraciones que el adolescente está invitado a comprender pueden agruparse así:

Naturales:

En primer lugar, una adecuada educación sexual le hará comprender, en el orden puramente humano, el valor de la ley natural: la sexualidad como participación del poder creador de Dios y el respeto a la dignidad de la persona, tanto la propia como la del prójimo, junto con la altura moral que alcanza el individuo que sujeta la carne al espíritu.

Sobrenaturales:

La dignidad del cristiano como hijo de Dios y miembro del cuerpo místico de Cristo, la consideración del cuerpo como templo del Espíritu Santo, consagrado por la Eucaristía y destinado a la Resurrección, así como el ejemplo de nuestro Señor Jesucristo, de María Inmaculada y de los santos.

Habiendo establecido que la condición imprescindible para vivir la castidad es no salirse de la esfera del amor –del amor que se recibe y del amor que se da, de Dios y del prójimo– enlistamos algunos medios concretos. Volvemos a establecer la diferencia entre medios sobrenaturales y medios naturales:

Medios sobrenaturales

a) Confesión y comunión frecuentes: purifican el alma y la fortalecen contra las tentaciones al infundir o aumentar la gracia santificante, y la castidad es "un don de Dios, una gracia"[30].

b) Vida de oración sincera, personal, de encuentro con Jesucristo. No es suficiente que el chico esté inmerso en lo que podría llamarse «sociología religiosa», es decir, en la práctica de la fe que encuentra en su entorno. Hace falta guiarlo para que haga suya, interiorizándola, la vida de su alma en comunión con Dios.

c) Petición humilde a Dios para vivir la castidad. Sin el auxilio divino el hombre no puede con sus propias fuerzas resistir a los embates del demonio: "Desde que comprendí que no podría ser casto si Dios no me lo otorgaba, acudí a Él y se lo supliqué, y pedí desde el fondo de mi corazón"[31].

d) Devoción a la Santísima Virgen, que es Madre nuestra y modelo inmaculado de esta virtud.

Medios naturales

Es importante atender a un programa de ascesis –es decir, una lucha, un combate– que ayude a ser fiel a la ley moral. Son medios que ayudan al adolescente a ejercitarse en la renuncia, la abnegación y la aceptación del sufrimiento. Vivir la pureza "implica un aprendizaje del dominio de sí... la alter-

[30] *Catecismo*, n. 2345.
[31] *Sabiduría*, 8, 21.

nativa es clara: o el hombre controla sus pasiones y obtiene la paz, o se deja dominar por ellas y se hace un desgraciado"[32].

Esos medios son:

a) Guarda de la vista, pues los pensamientos se nutren de lo que se ha visto; los ojos son las ventanas del alma. Por tanto, hacia todo aquello que sea directamente excitativo del placer carnal –escenas pornográficas, desnudos eróticos, etc.–, existe la obligación de retirar la vista por la ocasión próxima voluntaria de pecado mortal.

Además, el adolescente debe aprender que hay modos y modos de mirar. Aunque la mirada -el mirar- sea en sí misma una acción cognoscitiva, si está penetrada de sensualidad asume el carácter de conocimiento deseoso. Por tanto, la educación en la sexualidad incluye un "saber mirar" limpiamente:

"En todas partes del mundo, el lenguaje coloquial de los varones posee modos de decir distintos que delatan el sentido moral de su mirada sobre la mujer. No es lo mismo decir «Es hermosa», o «Es guapa», o «Es bonita» o «Se ve bien», etc. -expresiones de una mirada limpia o neutra, que incluso otra mujer puede usar-, que decir «Está buena», «Es rica», palabras de un evidente sentido sensual posesivo («mirar con deseo»). Quien así anda mirando a las mujeres, difícilmente puede ser un hombre casto; y quien así se hace mirar por los hombres, difícilmente puede ser una mujer casta"[33].

[32] *Catecismo*, n. 2339.

[33] JOSÉ MIGUEL IBÁÑEZ LANGLOIS, *Sexualidad Amor Santa Pureza*, Rialp, Madrid 2007, p. 117.

b) Sobriedad en la comida y en la bebida, pues "la gula es la vanguardia de la impureza" [34].

La castidad será más fácil y pronta si se apoya, por ejemplo, en el ayuno, es decir, en la mortificación del comer y del beber, que se remonta al Antiguo Testamento. Ese esfuerzo de comer mesuradamente, sin caprichos, y en principio sólo a las horas de comida, será un excelente auxilio para la vida limpia. Otro tanto, pero más aun, cabe decir de la sobriedad en la bebida alcohólica, pues su exceso es ya materia de mandamiento, y tiene una relación inmediata y obvia con la impureza.

c) Cuidado del pudor, que puede definirse como "la aplicación de la virtud de la prudencia a las cosas que se refieren a la intimidad". Es el hábito que "advierte el peligro inminente, impide exponerse a él e impone la fuga en determinadas ocasiones. El pudor no gusta de palabras torpes y vulgares, y detesta toda conducta inmodesta, aun la más leve; evita con todo cuidado la familiaridad sospechosa con personas de otro sexo, porque llena plenamente el alma de un profundo respeto hacia el cuerpo que es miembro de Cristo y templo del Espíritu Santo" [35].

d) Evitar la ociosidad, llamada con justa razón la madre de todos los vicios; siempre ha de haber algo en qué ocupar el espíritu o ejercitar el cuerpo.

[34] SAN JOSEMARÍA ESCRIVÁ, *Camino*, n. 126.
[35] PIO XII, Enc. *Sacra Virginitas*, n. 28.

Un juego de palabras clásico afirma: problema de pureza, problema de pereza.

e) Huir de las ocasiones: "No tengas la cobardía de ser 'valiente': —¡huye!" [36].

El que quiera pureza, que la anticipe, como el enfermo las condiciones de salud, el montañero la seguridad y la supervivencia. No se puede andar a la orilla del vacío ni jugar con el peligro. De los valientes que «huyen» es el Reino de los cielos.

f) Deporte, que forma virtudes especialmente aptas para resistir al capricho.

g) Modestia en el vestir, en el aseo diario, etcétera.

h) Pobreza y desprendimiento: el consumismo propicia el vivir en la esfera del propio yo, incapacitando para el amor oblativo.

Un sabio moralista ofrece el siguiente resumen:

"En la línea de estas invitaciones apremiantes hoy también, y más que nunca, deben emplear los fieles los medios que la Iglesia ha recomendado siempre para mantener una vida casta:

- *disciplina de los sentidos y de la mente,*
- *prudencia atenta para evitar las ocasiones de caídas,*

[36] SAN JOSEMARÍA ESCRIVÁ, *Camino*, n. 132.

- *guarda del pudor,*
- *moderación en las diversiones,*
- *ocupación sana,*
- *recurso frecuente a la oración y a los sacramentos de la penitencia y de la Eucaristía.*
- *Los jóvenes, sobre todo, deben empeñarse en fomentar su devoción a la Inmaculada Madre de Dios y proponerse como modelo la vida de los santos y de aquellos otros fieles cristianos, particularmente jóvenes, que se señalaron en la práctica de la castidad"* [37].

¿CUÁLES SERÍAN ALGUNOS «BULOS» PARA DESMITIFICAR CON EL ADOLESCENTE?

Los padres deben advertir que es muy posible –prácticamente seguro– que sus hijos varones hayan recibido múltiples informaciones inadecuadas referentes a la sexualidad, tanto de sus compañeros de escuela como de los medios de comunicación. Es importante que esos «bulos» sean adecuadamente desmitificados, de modo que el adolescente «limpie» su mente de desviaciones conceptuales y prácticas. A continuación presentamos algunos de esos bulos y la posible contraargumentación que podría esgrimir el papá.

[37] EVENCIO COFRECES, *La virtud de la castidad,* Folletos MC, n. 222.

Eres hombre si ejercitas tu sexo, pero si no...

- R. "Es verdad que en los varones existe un impulso sexual que produce un deseo activo, y que en determinados momentos ese impulso es muy intenso. Pero el ser hombre (la «virilidad») no consiste en *dejarse llevar* por los impulsos, sino precisamente en saber tener dominio sobre ellos. Por ejemplo, si entras a un restaurante y tienes mucha hambre, no le arrebatas el suculento filete al señor que está comiendo en la mesa de al lado. La verdadera hombría radica en saber controlar los impulsos, porque precisamente por eso Dios nos dio la voluntad, que nos hace libres para escoger lo mejor.

Aunque en ciertos momentos sea fuerte el impulso sexual, si tú consigues mantener tus pensamientos en cosas positivas, si te aficionas al deporte y te preocupas de servir al prójimo (sobre todo a los más necesitados), podrás controlar fácilmente esos impulsos.

Además de esos medios humanos, es importante que nunca olvides el proyecto de Dios sobre ti. Él te ha hecho hijo suyo, lo cual quiere decir que te hace participar de su misma naturaleza. En otras palabras, que eres –somos nosotros, los cristianos– *mucho más que hombres,* destinados a vivir en la intimidad divina por toda la eternidad. Quienes dan rienda suelta a sus deseos sexuales olvidan esta verdad, y entonces se degradan. Podríamos decir que se animalizan, perdiendo no sólo su ser de hijos de Dios sino también su dignidad humana.

Es verdad que esos impulsos a veces son muy fuertes. Todos los varones los experimentamos, pero precisamente quienes los vencen son los hombres más plenos en todos los aspectos. Y quizá te preguntes, ¿por qué tienden a descontrolarse esos impulsos? La respuesta es sencilla: esos impulsos se descontrolan por causa del pecado original, y de los pecados personales que hemos cometido después. Pero no podemos olvidar que contamos con toda la ayuda de Dios para encauzarlos positivamente. Tu sano desarrollo te lo agradecerá".

Si no ejercitas tu miembro viril, se te atrofiará...

- R. "El miembro viril o pene no necesita «entrenamiento» para realizar sus funciones específicas ya que, al carecer de músculos, no se puede atrofiar. Su rigidez o erección no son como el ejercicio del bíceps o del tríceps, sino que su endurecimiento es ocasionado por acumulación de sangre.

Hay quien dice también que es sano provocarse la salida del semen. Que si no se hace el cerebro se atrofia, se cae el pelo, te quedarás sordo, dejarás de crecer o te volverás loco. Mitos que se transmiten de generación en generación y que no tienen ningún fundamento. No, no se destruyen las neuronas cerebrales, ni disminuye el tamaño del pene, ni se pierde audición por ese motivo. Los espermatozoides que no se eyaculan –permaneciendo en el epidídimo– se reabsorben en el flujo sanguíneo, produciendo mayor vigor y energía al organismo.

Es importante adquirir experiencia, porque si no, cuando llegue el momento, no sabrás qué hacer...

- R. "En las relaciones sexuales no hace falta tener experiencia porque no se trata de un aprendizaje técnico: la unión coital la saben hacer hasta los animales. La capacidad de realizar actos biológicos se va desarrollando espontáneamente: nadie necesita aprender a respirar, a mirar, a beber, porque son actos instintivos. En los esposos, con el paso del tiempo y el crecimiento del amor, esa relación se va haciendo cada vez más coordinada, armónica y gratificante. Sólo en este sentido se va dando un desarrollo, un aprendizaje: cuando el crecimiento del mutuo amor de los cónyuges hacen que sus relaciones íntimas resulten verdaderamente unitivas".

Todos los jóvenes se masturban, es parte normal del desarrollo de la persona, algo así como un «escape», necesario para auto-conocernos...

- R. "La frecuencia de esta falta -como la de tantas otras- no es de suyo un criterio de moralidad: la moral no es un sub-inciso de las estadísticas. Por tanto, el que muchos o pocos hagan algo o dejen de hacerlo no lleva a concluir la bondad o maldad de aquello.

  Tampoco es parte normal del desarrollo de la personalidad, ni algo así como una «válvula de escape»: ese mismo argumento podría aplicarse a muchos otros males, como la embriaguez, la droga, la injuria, la violencia... No sería sensato, por ejemplo, que para dar escape a mis enfados en el tráfico comenzara a chocar mi vehículo contra las paredes, o contra otros coches...

Y si se considera la masturbación como una necesaria exploración del cuerpo en la adolescencia, no se ve claro el sentido de tal exploración, ni su ventaja, ni su resultado, que es más bien el disgusto consigo mismo y la vaciedad. Lo que, por el contrario, esa práctica tiende a producir, es aquello que Mounier llamó «psicología masturbatoria», es decir, la tendencia a buscar el placer como fin de cualquier actividad, más que la actividad misma, privándola de su sentido y valor propios. Esta corriente -el placer por el placer, es decir, el hedonismo- ya fue desenmascarada en su pobreza por el pensamiento filosófico, desde Aristóteles en la antigüedad hasta Max Scheler o Robert Spaemann -y tantos otros- en la modernidad.

Es fácil comprobar la diferencia de madurez interior, de carácter, de espiritualidad, entre un muchacho que aún está pegado a este vicio y otro que lo vence habitualmente. Por eso la masturbación, más que un problema irresoluble, debe verse como un reto: que nadie desfallezca, porque Dios pone al alcance de todos una fecunda y magnífica victoria".

Pero la gente piensa que su felicidad está en el sexo. ¿Es posible encontrarla ahí?

- R. "Dijimos que la filosofía demuestra que no. Lo hace con un argumento muy sencillo. Dice: el placer es puntual. 'Puntual' en este caso no se refiere a llegar a tiempo, sino a que se da en un punto. Esto quiere decir que el placer (cualquier tipo de placer, también el sexual) se disfruta sólo en el momento en que se tiene, y nada más. Cuando te comes un chocolate o una pizza disfrutas el gusto de esos alimentos tan sólo mientras están en contacto con tus papilas gustativas. Tres horas –o diez minutos después– de ese placer no te queda sino el recuerdo.

Pero la persona humana no está hecha para ser feliz sólo en ciertos puntos, es decir, en espacios de tiempo intermitentes. Está hecha para ser feliz siempre, y eso no puede proporcionarlo el placer, porque, dijimos, es puntual. Alguien es feliz cuando posee en su corazón aquello que le produce felicidad permanente. Y lo único que produce felicidad permanente es el amor. Primero el divino, fuente de todos los demás amores; luego el amor o los amores humanos, como derivaciones del divino.

Otro argumento para demostrar la falacia del hedonismo lo extraemos del sentido común. Estarás de acuerdo que el placer se logra con cosas externas, y las cosas externas podemos recibirlas sólo limitadamente. ¿Qué pasa, por ejemplo, si comes chocolates sin medida? Acabas por asquearte de chocolate. Lo mismo si bebes Coca-cola sin cesar: te provocará vómito, ya que tu estómago comenzará a rechazarla. El cuerpo humano, como todo lo material, tiene una capacidad de placer limitada (bastante limitada, por cierto). Eso no ocurre con el alma, que es espiritual. Mi alma no puede decir: Basta, no soy capaz de recibir más amor. Ya no quiero aumentar mi felicidad. No, no lo dirá, y cualquier persona en sus cabales siempre quiere ser más feliz. Esto no significa sino que estamos hechos para una felicidad siempre creciente. Nuestra capacidad de felicidad es, pues, inagotable, y eso sólo puede ser fruto del espíritu.

Luego de estos argumentos, ¿no crees que resulta una falacia, un triste engaño, pretender la felicidad a base del placer?"

¿QUÉ DECIR SOBRE LA HOMOSEXUALIDAD ADOLESCENTE?

Que debe asegurarse si se trata de una verdadera homosexualidad, ya que no siempre lo es. En otras palabras, el adolescente se encuentra en el proceso definitorio de su sexualidad, y en ciertas situaciones puede introducirse la sospecha de ser homosexual. El adolescente varón es un efebo, un mancebo, un varón en formación (por lo tanto, en cierto sentido un tanto andrógino), con características definitorias aún no completadas. Si cualquier persona puede experimentar alguna vez una relativa ambivalencia en sus tendencias sexuales (o ser objeto de atracción especial por parte de alguien del mismo sexo), el adolescente aún más.

Estas tendencias, que aparecen con cierta mayor frecuencia en el período de la adolescencia, suelen ser pasajeras:

> *"No son raras las experiencias homosexuales entre adolescentes, aunque en este aspecto ellos son más permisivos que ellas. Una pauta efímera de actividad homosexual no es índice de inclinación homosexual definitiva en el adolescente, precisamente porque en esta época él está buscando su identidad sexual. La mayoría de los muchachos que han tenido episodios de homosexualidad en la adolescencia, luego en edad adulta son heterosexuales"*[38].

[38] RAFAEL PRADA, *Sexualidad y amor*, San Pablo, Bogotá 1997, p. 29.

Ana Otte [39] lo refiere en el siguiente diálogo. Un adolescente conversa con su padre:

–Tengo que contarte algo. Me da mucho apuro. Algo relacionado con mis amigos. Es grave.
–¿Fuman?
–No, más grave.
–¿Se drogan?
–No.
–¿Alguno se ha acostado con una chica?
–No. ¡Qué difícil es hablar contigo!
–Dímelo ya, empiezo a preocuparme.
Un suspiro profundo.
–Un amigo mío, creo que tiene tendencias homosexuales, y la víctima soy yo.
Otro suspiro.
–Cuando nadamos en el mar se acerca mucho a mí. Veo que procura estar siempre cerca de mí. Dice que odia a las chicas y hace todo lo posible para que no vengan. A los demás les encanta contar con las chicas y se ponen muy tontos delante de ellas. Pero él ni las ve.
–Escúchame bien. Los dos están en pleno desarrollo y es muy típico a esa edad tener sentimientos ambiguos. Ya verás como eso se le pasará. Hazme el favor de no hacer ningún comentario sobre esto a ningún amigo porque le

[39] *Cómo hablar a los jóvenes de sexualidad,* EIUNSA, Madrid 2006, p. 71.

puedes hacer mucho daño etiquetándolo de algo que no es. De todas formas, haces bien en comentarlo para quedarte tranquilo.

En cualquier caso, los padres deberán seguir atentos. El «sospechoso» del caso anterior puede tener una homosexualidad pasajera... o real. Y si esa tendencia deriva en acoso o en hechos promiscuos hacia el protagonista, puede ocasionarle una confusión de género que eventualmente lo inclinaría hacia una homosexualidad definitiva.

V. LA EDUCACIÓN SEXUAL DIRIGIDA A LOS JÓVENES

¿CÓMO ABORDAR LA TEMÁTICA SEXUAL PROPIA DEL FIN DE LA ADOLESCENCIA Y COMIENZO DE LA JUVENTUD?

Cuando llega el final de la adolescencia y comienza la juventud, resulta muy oportuno que los jóvenes de ambos sexos se traten, se conozcan, salgan juntos, vayan madurando simultáneamente y sepan cuáles son las diferencias psicológicas y conductuales que los complementan. Descubrirán un mundo nuevo que los enriquecerá.

Ahora bien, el muchacho y la chica podrán ser amigos y compañeros, pero sin olvidar nunca que "él" es varón y "ella" es mujer, con los atributos, cualificaciones, impulsos y diferencias que los definen. No se trata, pues, de intentar un híbrido compañerismo: negar eso es negar la diferencia de los sexos, lo que impide el descubrimiento de las riquezas respectivas y la búsqueda de la complementariedad. Chico y chica no son iguales del modo como son iguales dos del mismo sexo.

Una primera y fundamental idea para el inicio de la juventud es que el conocimiento de las distinciones no incluye la parte física. Habrá que dejar muy claro que justamente la búsqueda del placer genital dificulta grandemente descubrir los valores no genitales de la sexualidad: si la percepción de la persona de sexo opuesto se colorea intensamente con el apetito carnal, se oscurece el resto de su realidad. Se difuminan así los valores espirituales, que son los prioritarios, ya que se refieren a la persona íntegramente considerada.

El papá debe conversar *frecuentemente* con su hijo al final de su adolescencia (estamos hablando de los 16, 17 años) –la mamá con su hija cerca del final de su adolescencia (dos años antes: 14, 15)– sobre los modos de trato entre los jóvenes. Algunos aspectos, como veremos, es preferible que los trate el padre de sexo opuesto. Ambos, papá y mamá, han de descubrirles cuáles pueden ser las actividades y costumbres enriquecedoras, y cuáles son aquellas que los ponen en peligro de corromper ese mundo que se abre ante sus ojos.

La mamá ya habrá explicado a la chica (cuando ésta se acercaba a la adolescencia) las diferencias existentes entre la anatomía y la fisiología femenina y masculina. Podrá ahora insistirle en que, ante ciertos estímulos, el varón se excita rápidamente (esto se manifiesta anatómicamente en sus genitales). Lo que para ella sería una situación agradable o simplemente cariñosa, para el chico puede ser motivo de un fuerte deseo sensual. Además, la reiteración o prolongación de esos estímulos terminará por ocasionarle también a ella sensaciones no adecuadas para su equilibrio psicofísico y para sus valores éticos. Serán ambos cómplices de pecados y su amistad o su noviazgo no resultará agradable a Dios.

El papá podrá también hablar con su hija adolescente de esa configuración masculina, ayudándola a superar la ingenuidad. Tanto al hijo varón como a la hija, convendrá insistirles en que la búsqueda de estímulos no les ayudará a mantener su sexualidad en la esfera del amor verdadero, y por tanto del buen éxito de su futuro matrimonio.

Tanto los jóvenes como las jóvenes deben estar preparados desde los primeros encuentros para responder adecuadamente a las posibles propuestas que posiblemente ellos o ellas les harán. Los padres pueden ayudarlos con respuestas válidas y claras ante las posibles insinuaciones y justificaciones. Es verdad que hay que decir siempre que *sí*. Pero *sí* al amor verdadero, *sí* a la sexualidad integrada en la totalidad de la persona, *sí* a la verdad de lo que es el hombre. Eso significa justamente no entregarse al placer o a las caricias que apuntan a la unión genital. El *¡SÍ!* a la vida y al amor es un *¡NO!* a quien quiere emplear un ser humano como medio para el placer fácil, rápido y gratuito.

Algunas ideas que, en plan de *slogan*, pueden manejar los padres:

¡NO! ES UNA PALABRA DE AMOR.
EL VERDADERO AMOR SABE ESPERAR.
MÁS VALE UN COLORADO QUE CIEN DESCOLORIDOS.
NO CONFUNDAS EL AMOR VERDADERO CON EL EGOÍSMO O EL PLACER
NO PONGAS EL CARIÑO EN OCASIÓN DE PECAR.
SI TE DICE «DAME UNA PRUEBA DE AMOR», DILE: «QUE TE LA DÉ EL DIABLO».

(Quizá también pueda servirles aquello que escribió Huidobro: "Un señor, famoso por su actitud machista y donjuanesca, decía con cinismo: "Me gustan la píldora, la minifalda, la liberación femenina y todo lo que ahora nos permite conseguir gratis y con abundancia cosas por las que antes teníamos que pagar"[1]).

¿ES BUENO QUE INTERVENGAN LOS PADRES EN LA ELECCIÓN DEL NOVIO?

En la condición del ser humano, en su libre modalidad de vivir el amor, radica ese derecho inalienable, sagrado, de todo hombre y toda mujer a la elección de su cónyuge. Son los propios interesados quienes deben elegir, cuando sus facultades selectivas hayan madurado bastante. Todo amor debe ir precedido de una larga etapa previa en la cual se vayan dibujando los rasgos de la imagen amada; amada ya antes de ser conocida, conocida ya antes de que un ser de carne y hueso verifique el sueño. De ahí la extraña sensación, que en todo buen amor tiene lugar, que el conocimiento de la persona predestinada sea más bien un reconocimiento.

Los padres tienen el deber de aconsejar lealmente, pero no deben, sin embargo, anular o restringir la libertad de sus hijos en la elección matrimonial. Hay intromisiones brutales –cada vez menos– y hay otras que no lo son tanto, que visten capa de

[1] JOAQUÍN GARCÍA HUIDOBRO, *Una locura bastante razonable*, Porrúa, México 2007, p. 139.

exhortaciones desinteresadas, pero que se inspiran en secretos móviles egoístas, o simplemente pretenden apoyarse en la experiencia que los años otorgan. Pero, ¿qué es la experiencia en este divino azar del amor? Tanto las presiones de un signo como de otro, aunque con muy distinto grado de culpabilidad, lesionan los derechos de esa persona humana, autónoma, que es el hijo.

No obstante, cuando se procede con inteligencia y tino, es totalmente legítimo, es digno de alabanza, un asesoramiento de los padres que tienda a evitar un enlace funesto. Siempre será el ideal aquel que, en *Le Cid*, de Corneille, describe Jimena: «Yo amaba, era amada, y nuestros padres estaban de acuerdo».

¿QUÉ TEMAS DEBE TRATAR LA MADRE CON SU HIJA AL FINAL DE LA ADOLESCENCIA Y COMIENZO DE LA JUVENTUD?

Debe prepararla para que sea capaz de conservar su virginidad hasta que se case (si es ése el proyecto de Dios). Debe ayudarla a comprender que desde el punto de vista biológico, psicológico y espiritual, la abstinencia no sólo le traerá ventajas en el orden físico (evitar riesgos de embarazos, de enfermedades, etc.), sino también en el psicológico y en el espiritual. Debe ayudarla a comprender que a los varones (en este caso a su o sus novios o amigos) no les produce ningún mal esperar. Ni tampoco a ella. Uniéndose sexualmente a una persona antes del matrimonio reduce enormemente sus probabilidades de casarse con él.

Todo eso debe saber la hija, y debe estar preparada si el novio le dice que necesita «eso», y que si no lo da «eso» buscará alguien que sí se lo dé. Debe saber que no vale la pena retener un chico así. Que lo más probable es que su amor sea fingido. Que muchas veces los chicos abandonan a una chica cuando han conseguido lo que querían, para buscarse una nueva "diversión". Que con un amor de verdad no son compatibles las amenazas. Y que de ella depende no responder a peticiones vehementes, no ceder a exigencias de tocamientos y relaciones íntimas.

Debe también recordarle que empezar pronto con trato sensual no supone lo mismo para el varón que para la mujer. En primer lugar, porque es ella la que carga con las posibles consecuencias de esas relaciones. En segundo lugar, que por las características de mayor afectividad en la mujer, ese tipo de trato distorsionará su noviazgo, y no sabrá ella si él la quiere con amor limpio o sólo con el deseo carnal. En tercer lugar, que como la mujer tarda más en reaccionar ante los estímulos sexuales, es ella la que debe marcar el nivel de trato respetuoso desde el principio. En definitiva, que un noviazgo mal llevado no conduce sino a la declinación del mismo o, si llega a darse, a un mal matrimonio.

La madre debe también advertirle a la hija que los impulsos libidinosos de los varones son muy fuertes, y que por lo tanto no debe provocarlos. Que para ello es importante establecer límites desde el principio, manteniendo la dignidad que como mujer le corresponde, y no presentarse ante él como objeto de placer, por ejemplo, descuidando la forma de vestir, de bailar, de conversar, de beber, etcétera.

Quizá una posible argumentación que le ayude a comprender lo anterior sea la siguiente:

–Oye hija, ¿ya le regalaste tu *ipod* a tu novio?

–No, mamá, ¿cómo piensas que le haya regalado mi *ipod?* Si tengo ahí toda *mí* música... además, tuve que ahorrar mucho para comprarlo...

–Oye, ¿y ya le regalaste tu teléfono celular?

–Mama, ¡cómo crees! Ahí tengo todas mis direcciones y, además, ¿por qué se lo habría de regalar?

–¿Y tu computadora personal? ¿Se la regalaste? ¿Y tu coche, y tu casa, y tu herencia? Pues hasta que no le hayas regalado todo eso... no te regales tú.

Uno de los momentos más grandes en la vida de un hombre es cuando, en completo abandono de sí mismo, alguien a quien él ama se le entrega completamente para su propia felicidad. Y eso sólo es posible habiendo sabido esperar a que esa entrega sea en verdad plena, integrada en compromiso de una unión indisoluble.

¿QUÉ DEBE ADVERTIR UNA MADRE A SU HIJA SOBRE LA SEXUALIDAD MASCULINA?

Debe advertirle –como ya dijimos antes– que el varón se excita con más facilidad que la mujer. Que reacciona con mayor vehemencia a estímulos visuales, y que su fantasía en este terreno es muy viva. Que a veces le basta mirar las caderas de una chica, sus piernas o su vestido ajustado para encender sus deseos sexuales. Que ella debe tenerlo en cuenta para no provocarlo con comportamientos inadecuados. Sería contradictorio que se vistiera o se exhibiera inadecuadamente y luego exigiera total respeto. Que una chica que ignora estas reacciones "relámpago" a veces se queda consternada por el repentino y brusco acercamiento de su amigo. Que ella ha de comprender que ésa es la forma propia de la psicología masculina, pues el varón es el principio activo de la relación sexual.

Debe explicarle también que, aunque en el varón sean muy fuertes los impulsos sexuales, eso no significa que le sea imposible controlarlos. Aún más, que la valía de un chico dependerá en buena medida de cuánto sea capaz de dominarlos, sometiéndolos al imperio de las potencias superiores del hombre, que son la razón y la voluntad. Por tanto, que mientras más puro encuentre a su pretendiente o mientras más limpiamente se comporte su novio, puede tener la seguridad de que es un joven íntegro. Y al revés.

Debe explicarle también que por lo general los varones piensan que las mujeres tienen los mismos impulsos sexuales que ellos (así como las mujeres suelen medir el apetito carnal de los varones tal como el suyo). La joven debe saber que a las mujeres les cuesta más excitarse y reaccionan más lentamente a los estímulos. La mujer es distinta. Ella no se conforma –como puede ocurrirle al varón– sólo con las caricias corporales, ya que su participación psíquica en la vida sexual es más total: ella desea que se le exprese el amor también con palabras, con realidades palpables, con servicios, con entrega sincera. Porque en la mujer es más completa la integración de la sexualidad en la persona; al varón le es más difícil lograr dicha integración. Que ella se involucra más de modo sentimental, y que al varón la intensidad puramente carnal puede nublarle la visión de la dignidad femenina... y de la suya propia.

Y... ¿SI EL NOVIO DE LA HIJA ACUDE A ESPECTÁCULOS PORNOGRÁFICOS?

Será conveniente que la chica aborde detenidamente con él las causas de tal comportamiento. Para llevar adelante dicha conversación, podrán servirle las siguientes ideas.

La pregunta clave es: *¿por qué* lo hace...?

Una posible respuesta sería: «porque no tiene suficiente dominio sobre su apetito sexual». Aquí podría preguntarse la chica *si ella tiene algo que ver con eso*. Sí, porque puede ser que en su noviazgo la pureza no se viva adecuadamente, y las caricias y los besos lo orillen a él a buscar su desahogo de esta manera o de otras, como por ejemplo la masturbación.

Pero no, supongamos que sí viven bien la pureza dentro de su noviazgo y que él, sin embargo, busca esos desahogos. ¿Qué puede pasar en este caso? *Que él no la quiera lo suficiente*, que no esté verdaderamente enamorado de ella. Si lo estuviera, con amor limpio, no iría a lugares donde se degrada a la mujer. No lo haría simplemente porque pensó en su novia, y como está limpiamente enamorado de ella, ella es para él fuente de amor y de pureza. Un sabio del siglo XX lo dijo con precisión: "Nada inmuniza tanto al varón para otras atracciones sexuales como el amoroso entusiasmo por una determinada mujer" (Ortega y Gasset).

Hay de golpes a golpes, y quizá uno de los peores que hoy en día recibe el género femenino es hacer negocios a costa de su dignidad. La mujer es *persona*, es decir, que ha sido creada a imagen de Dios, y como tal, no merece ser tratada de manera indigna. Desde luego que el problema del desamor a la persona humana es mucho más grande y no afecta sólo a la mujer. Estadísticas recientes indican que, cada año, el crimen organizado arranca alrededor de diez mil personas de sus hogares para venderlas. Puede tratarse de niños o adolescentes que son usados en la pornografía infantil, el tráfico de órganos y drogas. Este delito alcanza también a jóvenes y aun a adultos, generalmente con los mismos fines. En México, los *table dance* son abastecidos con jovencitas que la «trata de blancas» trafica de los países de Centro y Sudamérica, e incluso de nuestro mismo país, de unos a otros Estados. Una vez esclavizadas y enroladas en la mafia, a esas personas no les queda otra opción si quieren conservar la vida.

Al ir a ese espectáculo pornográfico, ¿qué concepto tendrá el novio de la mujer? Quizá no ha medido las consecuencias de su acción, ni ha pensado que con su colaboración monetaria ha contribuido a la denigración de la mujer. En cualquier caso, si es consciente o no, lo importante es ver si lo comprende después que hablen. Pudo haber sido una acción irreflexiva. Pero si le resta importancia o no parece muy dispuesto a rectificar, lo mejor es que la chica se aleje de él. Es bastante posible que ella misma pueda acabar siendo tratada, antes o después, más o menos de la misma manera que aquellas infelices cuya vida es un infierno originado por el machismo sexista.

¿CÓMO EXPLICAR A LOS HIJOS LAS CONSECUENCIAS DE UN NOVIAZGO MAL LLEVADO?

Un problema serio y de graves consecuencias es el noviazgo entendido como autorización para desplegar la apetencia carnal. El trato carnal entre novios, aun cuando no lleguen al coito (de eso trataremos más adelante) es un factor de riesgo para la consolidación futura del amor matrimonial, tanto fisiológica, como psicológica y espiritualmente.

Desde el punto de vista fisiológico, el trato entre novios que incluye caricias, abrazos, apreturas, besos pasionales, etcétera, suele producir, como consecuencia, eyaculación en el varón. Esos actos –perfectamente lícitos en el contexto matrimonial– son preparatorios para su completamiento, es decir, apuntan al coito. Hacerlos sin ese completamiento es, de alguna manera, una acción frustrada. Y aunque el joven pueda haber quedado tranquilo por haber descargado sus energías sexuales, sin embargo, la joven queda excitada y decepcionada, al no tener su orgasmo. Ahora bien, si para ella esos juegos eróticos son también una masturbación, los juegos sexuales sin penetración pero con orgasmo son fisiológicamente peligrosos porque acostumbran a los actores a orgasmos prematuros sin penetración. Ello puede ocasionar serios problemas matrimoniales al dificultar las relaciones amorosas normales e impedir la consumación del acto íntimo o el goce simultáneo en ambos cónyuges. Se originarían decepciones y acusaciones recíprocas de serias consecuencias.

Desde el punto de vista psicológico, ese modo de noviazgo lleva a desgastar un material de enorme valor para consolidar el futuro matrimonio. En el matrimonio deja de estar presente esa concepción del noviazgo como oportunidad de disfrute y aparece la exigencia de entrega cotidiana. El matrimonio supone, pues, un *pondus,* un peso. El goce del placer sexual viene, en cierto modo, a aliviar las cargas cotidianas. Pero, ¿qué decir si ese material ya se desgastó? En efecto, habiéndose dispersado el encanto y la novedad del material erótico que Dios suministra como contrapeso para el cansancio de la vida cotidiana en el matrimonio, éste puede tornarse decepcionante e invitar a la búsqueda de nuevas emociones.

Además, desde el punto de vista espiritual, Dios no estaría presente en un noviazgo donde impunemente se le ofende. Su ley señala el orden de las cosas, y el orden del placer sexual es inseparable de sus fines de unión y de procreación. Un noviazgo que pretenda construir su futuro matrimonio desde la base del pecado, no augura futuros halagüeños. Podemos visualizarlo a través del siguiente caso.

CASO: EDUARDO Y GRACIELA

Eduardo, ingeniero en un empresa, tiene cuarenta años y se casó hace tres con Graciela, después de un noviazgo de diez años, en el que tuvieron no pocas veces relaciones íntimas evitando la posible concepción. Ambos son católicos y se casaron por la Iglesia. Tienen una hija de año y medio. La dedicación de Eduardo al trabajo es muy absorbente, con frecuentes viajes, por lo que la atención a su familia es bastante reducida. Graciela también trabaja fuera de casa, pero su horario es más regular, de modo que puede ocuparse debidamente de la niña, con la ayuda de una empleada doméstica.

Poco tiempo después de casarse, el matrimonio comenzó a tener frecuentes discordias, pues a cada uno le costaba amoldarse a los hábitos de vida en común. Además, la dedicación laboral de Eduardo no sólo conducía a tener poco trato entre los esposos, sino también a un alejamiento afectivo entre ellos. El nacimiento de la hija, de hecho, no contribuyó a una mayor unión de los esposos. Graciela volcaba en la niña su capacidad de afecto y entrega, y Eduardo, aun queriendo a su hija, prácticamente se limitaba a aportar a la familia unos buenos ingresos económicos.

Eduardo se sentía cada vez más insatisfecho de su vida matrimonial y comenzó a ser infiel a su mujer, aunque sin entablar relaciones estables. También se planteó la posibilidad del divorcio, hasta que decidió seguir esta vía, por lo demás muy facilitada por la ley civil. Cuando aún no había manifestado su resolución a Graciela ni había dado los primeros pasos para ponerla en práctica, se la comunicó a Martín, amigo suyo con el que tenía mucha confianza. Martín, buen católico, intentó disuadirlo, pero Eduardo rebatía que, si bien su sí en la boda había sido sincero, no podía considerarse irrevocable: no somos como un río –decía–, que no puede volver atrás, ni se debe obligar a una persona a ser infeliz para el resto de su vida. Lo que deseaba era poder intentar una nueva unión matrimonial que le permitiera ser feliz. Martín, de todas formas, le animó a buscar el consejo del padre Julián, sacerdote amigo suyo. Eduardo accedió.

El padre Julián, en la entrevista con Eduardo, procuró hacerse cargo de la situación y le hizo ver que la respuesta a su caso no iba por la vía de dar por perdido el matrimonio, sino por la de volver a enamorarse verdaderamente de Graciela, pues ya desde el noviazgo había condicionado la entrega muy negativamente. Además, le explicó que no podía remediar su situación contando sólo con sus fuerzas: la ayuda de los sacramentos le era imprescindible, ante todo la confesión, para poder sacar fruto del matrimonio, y de la Eucaristía. Eduardo accedió a no poner en práctica, de momento, su decisión de divorciarse, y a considerar las razones que le había dado el sacerdote, incluidas las que se referían a los sacramentos.

Comentarios al caso anterior

Encontramos los siguientes considerandos:

1) El matrimonio se realiza en edad avanzada. Eso conlleva una mayor dificultad cuando tiene que darse el establecimiento de la vida en común (*dificultades de adaptación).*

2) Eduardo y Graciela mantuvieron un noviazgo largo (10 años). Podríamos preguntarnos las razones por las que no se casaron antes: ¿les parecía una vida muy cómoda esa relación sin compromisos? ¿Existía en su noviazgo una actitud de entrega mutua? En una palabra, ¿comprendieron el amor como donación, o simplemente como oportunidad de disfrute?

3) Durante su noviazgo tuvieron repetidas veces relaciones íntimas. El contexto de las mismas se daba al margen del compromiso permanente que se establece en el matrimonio. Dicha entrega, por tanto, no estaba integrada en la totalidad del amor de las personas, que incluye el arco temporal completo. El hecho añadido de evitar la concepción impedía también la entrega de ese aspecto tan profundo de la personalidad humana. No resulta difícil por ello que el amor interpersonal haya ido derivando a un mero amor de concupiscencia (amor de *eros*): la presencia del amor carnal sin compromiso distorsiona el verdadero amor interpersonal, que incluye la totalidad de recepción y entrega (amor de *agapé* [2]).

4) La absorbente ocupación de Eduardo le ha imposibilitado la formación de un mundo interior común con el de su esposa. Sus intereses, por tanto, transitan por vías diferentes.

[2] Un lúcido análisis en la distinción de estos dos tipos de amor puede verse en la Encíclica de Benedicto XVI *Deus caritas est*, nn. 3-8.

5) Aunque se manifiesta como buen padre para la niña, ese amor paterno no es suficiente para mantener la unión esponsal. Los hijos son fruto del amor de los padres y, si éste no existe, no es infrecuente que aparezca –como en el caso en estudio– una tercera persona en la relación.

El consejo del sacerdote resulta pastoralmente completo y acertado: invita a la recuperación del matrimonio en base a un doble apoyo:

a) el reenamoramiento de la pareja, y
b) el apoyo de la gracia de Dios para restablecer la gracia sacramental recibida el día de su boda.

Sobre el primero de estos consejos, se trataría de recuperar el amor interpersonal que parece haberse devaluado en un noviazgo mal llevado. El objetivo sería descubrir a la persona –en este caso Graciela– en su realidad profunda, para asimilarla a la propia: unión de corazones. Como si Eduardo fuera invitado a recuperar los diez años de noviazgo: aprender a quererla con compromiso: *Eduardo* –podría decírsele– *durante diez años Graciela fue tu amante. Intenta ahora que sea tu esposa.* Un medio clave para ello será la convivencia y la comunicación. Algún experto en temas matrimoniales decía que si los esposos no conversan entre ellos un promedio de 16 horas por semana corren el riesgo de establecer mundos independientes. "Que una persona viva en la otra, eso es el amor", escribió Karol Wojtyla [3].

[3] *El taller del orfebre*, BAC, Madrid 1982, p. 28.

Sobre el segundo consejo, la autorizada palabra de Juan Pablo II encuentra en el amor de Cristo a su Iglesia el carácter irrevocable de la unión matrimonial:

"Es deber fundamental de la Iglesia reafirmar con fuerza la doctrina de la indisolubilidad del matrimonio; a cuantos, en nuestros días, consideran difícil o incluso imposible vincularse a una persona por toda la vida y a cuantos son arrastrados por una cultura que rechaza la indisolubilidad matrimonial y que se mofa abiertamente del compromiso de los esposos a la fidelidad, es necesario repetir el buen anuncio de la perennidad del amor conyugal que tiene en Cristo su fundamento y su fuerza.

Enraizada en la donación personal y total de los cónyuges y exigida por el bien de los hijos, la indisolubilidad del matrimonio halla su verdad última en el designio que Dios ha manifestado en su Revelación: Él quiere y da la indisolubilidad del matrimonio como fruto, signo y exigencia del amor absolutamente fiel que Dios tiene al hombre y que el Señor Jesús vive hacia su Iglesia.

Cristo renueva el designio primitivo que el Creador ha inscrito en el corazón del hombre y de la mujer, y en la celebración del sacramento del matrimonio ofrece un «corazón nuevo»: de este modo los cónyuges no sólo pueden superar la «dureza de corazón», sino que también y principalmente pueden compartir el amor pleno y definitivo de Cristo, nueva y eterna Alianza hecha carne. Así como el Señor Jesús es el «testigo fiel», es el «sí» de las promesas de Dios y consiguientemente la realización suprema de la fidelidad incondicional con la que Dios ama a su pueblo, así también los cónyuges cristianos están llamados a participar realmente en la indisolubilidad irrevocable, que une a Cristo con la Iglesia su esposa, amada por Él hasta el fin"[4].

Ninguna de las dos vías resuelve el problema por sí misma. Hace falta la presencia del amor humano como reflejo del amor divino, y la del amor divino para sanar las heridas y carencias del amor humano. Y, por supuesto, la esperanza: plantearse como posible una recuperación es condición indispensable para que la recuperación pueda darse.

¿CÓMO AYUDAR A COMPRENDER A LOS HIJOS LA IMPROCEDENCIA DE LAS RELACIONES SEXUALES EN EL NOVIAZGO?

Centremos ahora la explicación dirigida a una chica. Lo hacemos así con el convencimiento de que la mujer, por su mayor centralidad en el amor y su capacidad también mayor para descubrir el valor de la persona –y, además, por su mayor capacidad de dominio–, es la que debe marcar la pauta de pureza en un noviazgo. Es importante hacerle entender a ella que un noviazgo en que no ha habido ni se prevé que haya relaciones sexuales tiene dos conveniencias fundamentales:

[4] Exhortación Apostólica *Familiaris consortio*, n. 20.

Primera, que el amor de su novio por ella tiene muchas posibilidades de ser realmente auténtico (y el suyo por él).

Segunda, la chica sabrá con más claridad si él es alguien realmente *compatible* con ella.

Sobre la primera razón, mantener un noviazgo «así» le ayudará a saber si el amor que siente el chico por ella es auténtico. Si entre él y ella no hay nada carnal, tendrá la garantía de saber que la quiere bien (que la quiere como persona, no como cosa, que la quiere en la unión de los corazones). Que la quiere a ella, no al placer carnal que le provocan sus escarceos.

Sobre la segunda razón, ¿por qué ayuda la pureza a darse cuenta si son en realidad el uno para el otro?

Porque si no han permitido ninguna «interferencia» entre ellos, resaltará el amor puramente espiritual. Cuando en un noviazgo se dan manifestaciones de sexualidad, la relación se colorea de sabor carnal, quedando en penumbra el fondo de la persona. Dicen los fisiólogos que con los escarceos amorosos se produce en cierta medida la hormona del vínculo afectivo llamada oxitocina. Dios ha puesto esa hormona como una especie de «pegamento» para la vida matrimonial, de modo que los esposos se encuentran reforzados en su mutuo amor al desplegar su vida sexual. Muchas chicas han dudado mucho de que su pretendiente sea la persona adecuada... hasta el primer beso apasionado. Después de él, se han sentido más animadas a continuar con ese novio... para darse cuenta más tarde de que ¡la primera impresión era la correcta!

Sin la oxitocina puesta a funcionar no se oculta la verdad suya... ni la de él.

Nadie duda que la continencia total en el noviazgo sea una prueba, una dificultad real –a veces muy costosa–, pero que reporta enormes beneficios:

"En esta prueba han de ver (los novios) un descubrimiento del mutuo respeto, un aprendizaje de la fidelidad y de la esperanza de recibirse el uno y el otro de Dios". Esto sucede si ellos reservan "para el tiempo del matrimonio las manifestaciones de ternura específicas del amor conyugal"[5].

Pero, ¿no podría pensar alguien que así asegura que se casará?

La experiencia de muchas personas asegura que los novios que mantienen relaciones sexuales al final terminan por no casarse. En efecto, un empirismo razonable (es decir, algo fundado en cuestiones lógicas) lleva a afirmar que es fácil que los novios que mantienen relaciones sexuales prolongadas en su noviazgo (es decir, durante meses o años), no concluyan su noviazgo en matrimonio.

Es frecuente encontrar chicas que, luego de haberse entregado a su novio, vienen con el corazón destrozado (y destrozada

[5] *Catecismo de la Iglesia Católica*, n. 2305.

también el alma), deshechas en llanto: es que ahora el novio les ha dicho que no está seguro de quererlas, que le den tiempo. Luego del tiempo, les dice que su cariño se ha apagado, y lo mejor es quedar como amigos. Se sonó la nariz con el *kleenex* y ahora manda el *kleenex* al bote de la basura. El novio se desencantó.

¿Por qué suele haber desencanto hacia sus novias en los novios que mantienen relaciones sexuales? Podemos encontrar algunas razones. No es que sean reglas generales, simplemente se trata, dijimos, de un empirismo razonable.

Una de ellas es que él podrá pensar: *Si ésta me resultó fácil, ¿quién me asegura que no lo hará después con otro?*

O podrá pensar también: *¿Casarme? Ya no tiene chiste. ¿Qué más podrá ofrecerme? Ya le saqué todo lo que tenía.*

O bien: *¿Ésta? La verdad, ya me fastidió. Buscaré otras con mayores atractivos, quizá sólo por la emoción de lo desconocido.*

O también podrá venírsele esta idea: *No vale la pena. ¿Qué garantías de mujer puede darme la que me entregó su virginidad?* Y peor aún si ya la traía perdida: *Es una cualquiera, no vale la pena echarme el compromiso.*

Si piensa en sus posibles hijas futuras, ¿le gustaría compararlas con una madre así?

Quizá se resuman las razones anteriores en lo que decía una muchacha bañada en llanto y gimiendo llena de tristeza:

Primero me presionaba para hacer el amor, y ahora dice que soy una p...

¿Y si el novio le dice que le demuestre su amor entregándose a él?

La experiencia enseña que el amor no se afianza ni se demuestra con las relaciones prematrimoniales. Luego de éstas, se pierde el misterio de la persona y queda tan sólo el placer de la carne. Dijimos que, si la chica cede, se convertirá en algo 'trivial' para él. Habrá perdido su 'encanto' de mujer, aquella intimidad que sería un atractivo sobreañadido y que ahora ha quedado al descubierto. Ella no sabe si será su esposa, pero por lo pronto le ha arrebatado un tesoro. ¿Será eso quererla bien?

Su misterio de persona no ha trascendido, como debía, en la unión definitiva y en la apertura a nuevas vidas. Se quedó a nivel de lo físico, sin espíritu. Dijimos que por eso resulta frecuente que ese novio no vea con iguales ojos a la chica con la que se ha acostado, como si se hubiera vuelto indigna de ser amada en la totalidad de su ser corpóreo y espiritual. Entonces ella resulta aburrida para él. He sabido de jóvenes desconsoladas que, luego de tiempo de relaciones sexuales, oyen de sus antes enamorados novios: 'me das flojera'.

Él sabe que con *esa* chica ya no tendrá la ilusión de *eso* el día que estén unidos para siempre. *Eso* habrá sido derrochado antes, anticipado. Sabe que *eso* al fin y al cabo puede cambiarlo por otro *eso,* pues siempre habrá quien pueda proporcionarle un nuevo *eso*, quizá más intenso que el que obtuvo con su novia.

Goethe dijo alguna vez que «lo bello no es tanto lo que da cuanto lo que promete». Podemos aplicar este aserto al eros del noviazgo, que está hecho de promesa, mientras que su cumplimiento reside en el matrimonio. Hermosa palabra es ésta: «los prometidos», «i promessi sposi», los que tienen mucho que prometer porque no lo han dilapidado antes de tiempo.

Si persiste con ella, si continúan siendo novios, a la chica le quedará siempre la duda de que la quiera a ella, o simplemente que desee *eso*. Pues así como puede cambiarla por otro placer igual o mejor, no la querrá a ella, sino tendrá tan sólo el deseo de poseerla, de utilizarla. Y es que la persona es mucho más que placer, el placer no agota a la persona. La joven ha de afirmarse en la convicción de que vale mucho más de lo que puede provocar a las terminales nerviosas del "animal" macho. Eso no es amor, sino genitalidad, egoísmo... aunque se disfrace con chantajes afectivos.

¿Y si el argumento es que «eso no es malo, si se hace por amor»?

¿La ama o la desea? ¿Quiere de verdad su bien o está buscando su disfrute? Cada noviazgo tiene su historia propia y, si va desarrollándose debidamente, debía pasar siempre del *«te amo porque te necesito»* al *«te necesito porque te amo»*.

No suele ser difícil que el egoísmo de la carne –dijimos que en los varones es particularmente intenso– lleve a fingir amor para sacar sexo. Lo que queda al descubierto en lo que ese novio dice podría expresarse así: *«te amo (o finjo hacerlo) porque me haces falta para satisfacer mis instintos»*. Ojalá que en realidad dijera: *«te necesito –me haces falta, me eres imprescindible– porque es muy grande mi amor por ti»*. Hay diferencia, ¿no?

«Si de verdad me quieres, demuéstramelo acostándote conmigo». La joven debe pensar si de verdad puede quererla una persona que la presiona para hacer el acto sexual. ¿Está buscando su verdadero bien, lo que más le conviene? Quizá en realidad lo que te diga es: *«quiero que corras distintos riesgos con tal de que yo pueda satisfacer mi genitalidad»*.

El acto que pide no es una prueba de amor, sino un chantaje. Y si el novio no acepta la negativa, ella hará muy bien en terminar su noviazgo. Ha de comprender el peligro de una relación en la que están intentando usarla: si, luego de explicarle con firmeza y enfado que le parece pésima su propuesta, el novio no se convence, ella debe convencerse que el tipo es un auténtico patán.

Podrá compararlo con otro que le diga: *«Me gustas mucho y, aunque mi deseo sexual es muy grande, sé que debo esperar porque es lo mejor para ti y para mí»*. Éste último sí le manifestaría amor verdadero y estaría dispuesto a poner *su* bienestar por encima de *su* interés.

La siguiente comparación es muy burda. Pero en ocasiones hay que decir las cosas con crudeza, de forma que se consiga un *shock*, una reacción. La comparación –de nuevo perdón, porque es muy burda– dice: «*Las mujeres no son escusados donde los varones descargan necesidades fisiológicas*». Se trata de que ella comprenda que es perder el tiempo (y muchas otras cosas muy valiosas) con quien quiera utilizarla. Que le diga que no quiere convertirse en su WC. Que se dedique a buscar el amor verdadero, aunque tarde en encontrarlo. Contará con el beneplácito de Dios, que le mandará al amor de su vida.

Es fácil imaginarse la escena. Ella lo encontró ese día con pretensiones excesivas. Sabía que hay momentos en que los chicos pueden verse atacados por una especie de delirio. Ella, sin embargo, estaba bastante serena, y la voz de su conciencia le hablaba claro. Una y otra vez, y ella, firme. Entonces, harto, le dijo unas cuantas cosas: que con ella no se podía, que era una cerrada, que así nunca llegarían a conocerse bien... se levantó y se fue.

Hay que recomendar paciencia. Dejar que pase un poco el tiempo. Si él la deja por eso, mejor. Más vale que lo haga cuanto antes. Sería horrible que llegara a casarse con él.

Si vuelve arrepentido, posiblemente se trate de un chico valioso, que la quiere bien. Si reflexiona una vez que se le haya pasado el frenesí y rectifica, vendrá a ella. Habrá comprendido que se comportó como un patán. Si conserva principios de rectitud, empezará a sentirse avergonzado. Sentirá deseos de rectificar y pedir perdón. Sabrá en el fondo de su conciencia que ella tenía razón, y que en realidad vale mucho la pena. Habrá crecido enormemente la valoración que le tiene.

El fruto de esa intransigencia será una mayor consideración. La verá más virtuosa y elevada que él, y experimentará gran veneración por aquella chica buena que, cuando él se tambalea, ella permanece firme. Sabrá que esa mujer no pierde la cabeza y, mientras él se desploma, la chica continúa serena, sin marearse.

Sus bonos habrán crecido enormemente.

¿Qué sucede, en cambio, en caso de ceder? Pasada la embriaguez carnal, cuando él reflexione, él la verá a sus pies, como su víctima. Sentirá en el fondo cierto desprecio y hasta un poco de repugnancia por ella. Es una constante en la historia de la humanidad, como refleja la literatura.

Cervantes cuenta los amores de Dorotea con don Fernando. La incauta Dorotea, ante las promesas y juramentos del duque, debilitada ante sus insistencias y ruegos, cede. A partir de aquel momento el novio no vuelve más. Ha comenzado para ella una vida de lágrimas y amarguras. Otro caso, ahora en la literatura alemana: Hardy Schilgen, en *Ella frente a él,* recoge el diálogo de un joven que manifiesta a su amigo la terminación del noviazgo porque días antes pecó con su novia:

–¿Y a causa de eso ha roto ella sus relaciones contigo? –pregunta el amigo.

–No –contestó el joven–; fui yo quien las rompí. Me había hecho el propósito de hallarla inocente ante el altar, pero hace unos días me embriagué dejándome llevar por la pasión. El modo como ella cedió a mi proposición me produjo tal repugnancia que ya no me siento capaz de casarme con esa mujer.

¿Conducta ruin? Hasta criminal, si se quiere. Pero podemos verla también como lógica consecuencia de haber trastocado el ser de las cosas, de haber dejado que el instinto rompiera el delicado frasco del espíritu humano.

CASO: JULY

(A. Sierra Londoño)

Son las 2:20 de la mañana cuando suena el teléfono y Carmen, como un resorte, salta de su cama antes de que Ernesto, su marido, se despierte.

–¿Diga?

–Mamá, soy yo. ¿Puedes venir por mí?

–¿Pero, acaso no te iba a traer Camilo? –pregunta Carmen entre dormida y despierta.

–Sí, mamá, así habíamos quedado –confirmó July– y él insiste en llevarme, pero le he dicho que no. Mamá... ¿vendrás?

–Sí, claro, ¡qué remedio! Llamaré a tu padre para que me acompañe.

–Mamá...

–Sí, dime.

–¿Por qué no vienes tú sola y charlamos?

–Ni hablar, hija. Papá se disgustaría; además, ya está sentado en la cama gruñendo. Más bien hablamos luego en casa.

–Bien, mamá, pero prométeme que no querrás irte a la cama nada más llegar.
–Prometido –aseguró Carmen conteniendo un bostezo– y colgó el teléfono.

Ernesto ya estaba vestido y, mientras Carmen se echaba algo sobre el pijama, comenzó la retahíla.
–¡Qué barbaridad! Ellos disfrutan la noche, cantan, bailan, se quitan de encima el estrés y luego, nosotros corremos como tontos al amanecer a recogerlos para que no les pase nada.
–Así es –responde Carmen con tono resignado como para apagar la hoguera.
–¡Pues no! –dice Ernesto casi gritando– no debería ser así. ¡No hay derecho! No está entre mis obligaciones levantarme en la madrugada los sábados para recoger a quien quema la noche bailando.

Carmen permaneció callada. Tal vez así se calmaría.
–¿No dices nada? –empezó nuevamente Ernesto con mayor impaciencia. ¡Claro! Tú eres la cómplice de los paseos, las rumbas, las llamadas kilométricas y todo lo demás. ¿Mujer, acaso no piensas nunca en mí? ¿Sabes lo que es madrugar para ir a la oficina después de haber estado en vilo toda la noche?
–Pero Ernesto, hoy es sábado –se aventuró a insinuar Carmen tímidamente.
–Precisamente –contestó Ernesto– un descanso interrumpido es un cansancio prolongado. No sé quién lo dijo, pero tenía toda la razón. Anda, vamos ya.

Por el camino, mientras Ernesto suspiraba ruidosamente de trecho en trecho, Carmen trataba de imaginar lo ocurrido entre July y Camilo. ¿Habrían peleado?, pensaba. ¿O tal vez ha conocido a otro chico? ¿Quizás le ha faltado al respeto? Pero Camilo parece un buen muchacho... Se notaba preocupada... ¿Habrán hecho algo indebido? Y Ernesto... ¿qué diría Ernesto si ocurriera algo malo?

Un brusco frenazo la trajo nuevamente a la realidad.
–Mujer, ¿por qué no llamas a la puerta? He venido en pantuflas y voy a parecer un loco si me ven. ¿O quieres que pite como un desaforado a las 3 de la mañana?
–No, claro que no –responde Carmen alarmada–. Ya voy yo.

Pero no fue necesario llamar a la puerta. July esperaba atenta y, después de despedirse, subió al coche, no sin antes enterarse del gesto de su madre que pedía silencio. Ernesto no habló palabra en el camino de regreso y July, después de saludar, se recostó y fingió dormir hasta llegar a casa.
–Mamá –inició July ya en su cuarto, mientras tomaba un vaso de agua. –Papá y tú nunca... mejor dicho, siempre... ¿cómo te diría? ¿siempre se respetaron?
–Por supuesto, hija, siempre nos respetamos y seguimos respetándonos aún. ¿Por qué lo preguntas?
–Pero, mamá, sabes a qué me refiero. Ya sé que papá te respeta o mejor dicho, que no te respeta porque es un machista de miedo que sólo piensa en él. Pero no estoy hablando de eso. Hablo de lo otro... ¿no se acostaron cuando eran novios?

Carmen no pudo evitar un estremecimiento. Para disimular su ansiedad, fue a la repisa de al lado de la ventana y fingió arreglar las pequeñas imágenes de cerámica que permanecían allí en perfecto orden.

–No, no tuvimos relaciones antes de casarnos. Lo deseábamos, sí, ambos lo deseábamos con toda el alma, pero nos parecía inconveniente. Queríamos mirarnos a los ojos sin sentir vergüenza el uno del otro. Nos queríamos mucho y evitábamos todo lo que creíamos que podía dañarnos.

–¿Y hablaron de ello? –preguntó July con interés.

–Sí. Hablamos varias veces del asunto. Tu padre es bastante apasionado. Ya conoces el empeño que pone en todo. Hubo una época... llevábamos como un año de noviazgo, en la que empezó a sentirse con derechos sobre mí. Primero, empezó a besarme, no ya con besos pasajeros e inocentes, sino con cierta pasión; después, quiso acariciarme con atrevimiento. Yo me sentía sobre nubes, como embriagada, pero reaccioné. Aquello me gustaba y vi claro adónde llegaríamos pronto. Un día le dije, después de una despedida en que quiso pasarse un poco: «O te detienes o te vas de vacaciones». Pensó que era una broma y quiso repetir al día siguiente. Entonces, haciendo «de tripas corazón» como decía mamá, lo planté de una vez por todas: «Por favor, no vuelvas hasta que se te pase la calentura».

–¿Qué hizo papá entonces? –preguntó July que no podía disimular su ansiedad.

–Ya podrás imaginarte lo que hizo. Se levantó como un resorte y con mucha seguridad, como quien dicta una sentencia de muerte, deletreó: ¡¡has-ta nun-ca!!, y salió dando un portazo.

–Mamá, ¿pero es que no lo querías entonces? O, de verdad, ¿no te gustaba mucho?
–Más que quererlo, ¡lo adoraba! ¡Era el hombre más atractivo del mundo! Bueno… habrían otros mejores, pero yo no tenía ojos para ellos. Como tú con tu Camilo. No me dirás…
–Déjalo, mamá, ya hablaremos de él. Cuéntame, luego ¿qué pasó?
–Me quedé llorando como una boba y tu abuela de una pieza… Totalmente desconcertada. Yo no quería hablar con nadie, ni ver a nadie, ni comer, ni estudiar. Sólo quería llorar. Fueron ocho días…
–¡Mamá! ¿Aguantaste ocho días sin llamarlo y pedirle perdón?
–¡Niña, por Dios! ¿Qué cosas dices? Era él quien debía pedir perdón y lo hizo. Era un domingo. Llovía y aquello parecía en casa como un entierro. Ya todos sabían de nuestro desastre y trataban de darme ánimo como mejor podían… Cuando sonó el teléfono. El corazón me decía que era él y salté a contestar. Al otro lado, Ernesto, como si nada hubiera pasado y con una humildad desacostumbrada, preguntó tímido: ¿Puedo ir hoy?
–Te mojarás –le contesté grosera– mejor quédate en casa…
–No importa –fue su respuesta– en 15 minutos estoy ahí.

Creí que el corazón se me salía del pecho. No podía con tanta emoción. Salí por toda la casa gritando como una loca. Tu abuela pensó que era un ataque de histeria y corrió a buscar una bolsa de plástico para que respirara dentro de ella. ¡¡Qué bolsa ni qué bolsa!! Yo sólo estaba feliz y no podía contener tanta maravilla dentro.

Cuando llegó papá ya estaba en mis cabales y totalmente seria.
–Bueno, dijo él. –Bueno–, le contesté, fingiendo absoluta indiferencia.
–Perdóname, me porté como un idiota –susurró, más que habló.
–Más vale que lo reconozcas así –le contesté. Y para mis adentros pensaba: «ahora lo tengo; a éste hay que darle por la cabeza para que entienda». ¿Y sabes una cosa, July? A partir de aquel día nos quisimos mucho más que antes. Si hubieras visto la caballerosidad, las atenciones; se pavoneaba conmigo delante de sus amigos, y a todo el que quería oírle le contaba que estaba orgullosísimo de su serpiente de cascabel. Un año más y estábamos casados... Pero ya todo lo demás lo sabes. Cuéntame ahora: ¿qué pasó con Camilo?
–¿Camilo? ¿Qué pasó con Camilo? Nada, mamá, hasta el momento parece que todo está como debe ser. Ya te contaré.

Carmen hizo ademán de retirarse y ya cruzaba el umbral de la puerta, cuando July preguntó desde su cama:
–Mamá, ¿estabas muy segura de que volvería?

Carmen leyó en los ojos angustiados de July todo su drama de un solo golpe. Cuántos deseos tenía de tirarle de la lengua y hacerle contar todo lo que le preocupaba. Cuántos deseos de decirle que todo se arreglaría y que ella ya había vivido aquello y sabía cómo actuar; pero se contuvo y, sonriendo, como quien dice la cosa más intrascendente, respondió:

–Claro que no estaba nada segura, estaba en ascuas, pero me dije: Si no vuelve, es porque sólo albergaba malas intenciones. Si vuelve, es porque de verdad me quiere y me querrá más ahora que sabe que puede confiar en mí. ¡Y volvió!

El despertador en la mesita de noche marcaba las 4:30 de la mañana. July, con expresión serena y con los ojos húmedos, cortó como quien lo sabe todo:

–¡Ay, mamá, parecen todos iguales!

¿CUÁLES SON LAS OCASIONES QUE PONEN EN PELIGRO LA PUREZA DE LOS JÓVENES?

Los y las jóvenes que quieran seguir una vida con ideales altos deberán adoptar patrones de conducta distintos a quienes propician el permisivismo. Eso les supondrá ir habitualmente contracorriente. Deberán los padres prepararlos para ello, estando personalmente convencidos de los profundos males que pueden seguirse de una conducta disoluta.

Si un muchacho y una chica, por ejemplo, salen de noche, van a bailar, beben, y luego se quedan conversando cariñosamente hasta la madrugada en el coche, el bar o la sala de la casa, es casi lógico que tarde o temprano terminen en relaciones íntimas. Quienes deseen mantener su castidad deben evitar esas ocasiones cuyo final es bastante previsible.

Todo lo anterior es especialmente clave respecto a las diversiones en general, y al baile en particular. Los bailes son oportunidades para fomentar el trato entre chicos y chicas. Los padres de familia –singularmente o reuniéndose con otros– han de saber facilitar sus casas para los encuentros y reuniones de los hijos. No deberá importarles el desorden que les ocasionen o el ruido de la música, los estropicios e incluso los posibles robos. Hay cosas más valiosas que cuidar. Las casas familiares están para formar futuros hogares de familia. Nada mejor que los jóvenes se sientan a gusto con sus amigos y amigas en sus propias casas, con el conocimiento y trato de sus padres.

Cabe resaltar la importancia de la casa, del hogar, como lugar de encuentro y enriquecimiento de personas. El hombre construye casas no tanto para defenderse del clima o de los animales, sino porque necesita proyectar espacialmente su intimidad: mi casa es mi intimidad, mi lugar propio, y cuando invito a un amigo a mi casa lo invito a mi intimidad, lo invito a estar en mi compañía honda. Si un joven –pongamos por caso– sale con una chica el tiempo suficiente para vencer esa primera etapa en la cual oculta la relación a los padres –precisamente por un sano pudor–, es normal que después intente buscar un ámbito apropiado para esa nueva relación. Si el hijo se identifica con el ambiente de su casa, de sus padres, de sus hermanos, se sentirá con valor para invitar a la chica a su casa, quizá con algunos compañeros más, para ver una película, para platicar o para dedicarse a cualquier otro entretenimiento sano. Si, por el contrario, no se siente identificado con el ambiente de su casa, es fácil que busque sustituirlo por un lugar falsamente «íntimo»: una discoteca, un bar oscuro, el rincón de un parque o de un cine, o el propio automóvil. Tales lugares le parecerán «íntimos» sólo en razón de su aislamiento, de su oscuridad, de la música o de los juegos de luces; en definitiva, de razones puramente externas que no propician un verdadero encuentro de personas.

> *"Las parejas de novios deben acordar la prudencia de evitar un encierro o una soledad excesiva y tentadora, según las circunstancias de lugar y tiempo de su propio «mapa» familiar y social. En tal casa, tal sala común puede estar muy bien por la cercanía de parientes o domésticos, pero cuando se van quedando solos o casi en la morada, ésta es ya claramente una ocasión de pecar, la que puede darse también en la soledad de la naturaleza, dentro de un automóvil estacionado a media noche en una calle oscura, etc. A veces se trata de metros hacia allá o hacia acá, de puertas cerradas o abiertas, de determinados viajes, de luminosidad o penumbra, de media hora antes o después... Quien desprecia estos factores, es que no tiene verdadera voluntad de pureza en el noviazgo"*[6].

Los *antros* o discotecas no contribuyen al conocimiento positivo de los jóvenes. Son lugares de penumbra, ruido, apretujamiento de cuerpos, de alcohol y a veces de droga. En esos lugares es casi imposible hablar, propician un tipo de expresión basada únicamente en el contacto físico y en la

[6] JOSÉ MIGUEL IBÁÑEZ LANGLOIS, *Sexualidad Amor Santa Pureza*, Rialp, Madrid 2007, p. 124.

vibración de los instintos estimulados por el estruendo, la media luz y el menoscabo del pudor. Todo a altas horas de la noche. Las autoridades deberían tomar parte en los controles y horarios. Estos lugares son un invento que contribuye a la corrupción de la juventud y que los padres deben afrontar con criterio realista, con valentía y con determinación. Un paso muy decisivo es que los padres entiendan que esos lugares no han de suponer una *alternativa normal*: tomar conciencia de ello es comenzar a enfocar rectamente el asunto.

Experiencia de los padres: un remedio natural y eficaz contra los antros es la escasez de dinero. Como dichos lugares no suelen ser lugares económicos, el chico que esté corto de ingresos –porque sus padres no le dan en abundancia, o porque le ha costado mucho esfuerzo ganarlo– descartará ese modo de derrocharlo.

En esa mutua confianza que los padres han sabido crear con los hijos desde pequeños, propiciando conversaciones serenas, el tema del baile no ha de dejar de tratarse cuando los hijos comiencen a interesarse por esa diversión. Es importante que los papás profundicen y sepan exponer con razones claras y ofreciendo alternativas las causas por las cuales esa diversión puede contribuir a desequilibrios instintivos. En efecto, si en lugar de bailar con gracia y sencillez, la pareja se abraza y estrecha con fuerza, se balancea torpemente o se besa sensualmente, se despertarán los instintos genitales propios del ámbito matrimonial. Si, además, las chicas van vestidas provocativamente (como pasa con frecuencia en tales lugares), se excitarán recíprocamente con aumento de los deseos sensuales e ingurgitación sanguínea de los órganos genitales. En ocasiones podrá darse una especie de masturbación compartida con las consecuencias psíquicas, morales y emocionales negativas que eso conlleva. Por no decir nada de la pérdida de la interioridad y de la conciencia de hijos de Dios que es nuestra más profunda verdad.

¿ES PERJUDICIAL PARA LOS JÓVENES IR A «ANTROS»?

Copio el capítulo relativo al tema, tomado de la obra *La pureza de las jóvenes* [7]:

¿Es malo ir a «antros»?

Hay personas que piensan que el control o descontrol de su sexualidad está en los órganos que determinan el sexo. Y no. El control o descontrol está en el cerebro. Nosotros recibimos «estímulos» a través de los sentidos externos –tacto, oído, vista–, y entonces el cerebro manda una señal a ciertas glándulas para que liberen hormonas sexuales (estrógenos, progesterona, testosterona y otras), y es entonces cuando se produce una excitación o, por el contrario (si el cerebro no manda la señal) no se produce nada.

¿Sabes con qué idea están diseñados los antros? Con la idea de estimular todos los sentidos para lograr que el cerebro mande seña-

[7] RICARDO SADA FERNÁNDEZ, *La pureza de las jóvenes*, Minos Tercer Milenio, México 2008, pp. 196-199.

les que liberen las hormonas que exciten a cuantos están en ese lugar. Un lugar muy oscuro para distinguirse, con demasiado ruido para escucharse, con proliferación de lociones para olerse, maquillaje muy cargado para aparecer irresistible, suficiente exhibicionismo (ropa ligera) como para resaltar, y muchas, muchísimas personas apretadas para poder encontrar una especial... o varias.

¿Será el *antro* el lugar más adecuado para descubrir el verdadero amor? Parecería que ahí desaparece el sentido de «conquista» –tanto en su forma ritual como en su forma estética–, en provecho de una deformación en todos los sentidos. Víctor Frankl, neurólogo y psiquiatra austriaco, fundador de la Logoterapia, describió los *antros* (en francés se dice *boîte)* como *la metamorfosis de los lugares típicos de encuentro*: "Se acabaron las salas aterciopeladas; la *boîte* (sala de fiestas) es simultáneamente un lugar de concierto, un espectáculo total, una animación visual y electroacústica compuesta de efectos especiales, de láser, proyecciones de videos y robots electrónicos. Es, simplemente, una posibilidad y una ocasión para embriagarse y aturdirse", señaló.

¿Cuáles son los ejes en los que se apoya el éxito de los *antros*? Ya mencionamos uno: el «calidoscopio de sensaciones». Otro es la permisividad: en esa multitud se vale todo (o casi todo), porque de lo que se trata precisamente es de desinhibirse, de liberarse, de perderse entre resplandores, anonimato y aglomeraciones. Ahí la censura se desvanece. ¿Podrá darse en tales circunstancias el verdadero enamoramiento?

El verdadero enamoramiento conlleva un triple componente: 1º la atracción, 2º la intimidad y 3º el compromiso. Primero, la atracción: enamorarse de alguien siempre supone que ese alguien «te guste». En este primer componente del enamoramiento el *antro* podría, teóricamente, servir. Sí: ahí podrías encontrar alguien que te guste. Pero gustarte, ¿en qué sentido? ¿Permite el *antro* algo más que el puro apetito sexual? Es decir, ¿ahí se descubren *personas* o se descubren *cuerpos*? No olvides que las personas se aman, los cuerpos se desean. Una clienta asidua a antros daba el siguiente consejo a una novata: "Si vienes con hombres, es difícil ligar. Lo mejor es venir con puras amigas y bailar sexy. Las amigas bailamos de manera sensual entre nosotras para moverlos e incitarlos a que vengan". Algo así como un ritual de orangutanes que buscan apareamiento, ¿no?

El amor esponsal supone la parte física, sí, y por eso la persona elegida ha de resultarte atractiva. Pero la atracción no es mero erotismo. Acuérdate de aquello del «brillo de las virtudes». Luego de la atracción de la persona (en que tienen lugar, hasta cierto punto, los valores sexuales), ha de darse el segundo paso: el *conocimiento*: conocer *el alma* de esa persona, su fondo interior. Sólo de ese modo podrás saber si es «compatible» con el tuyo. Una vez establecido el conocimiento, se puede llegar al tercer componente del amor: el compromiso. Estos tres elementos se van dando en las diferentes etapas del amor, y son la garantía de que ese amor será verdaderamente perdurable.

Actualmente el primero de los tres aspectos ha ido ganando la partida, al grado que en ocasiones llega a sustituir a los otros dos. Con el *ligue* se buscan relaciones *sin compromiso* y casi *sin conocimiento*. Estas relaciones de compañerismo permisivo, de la posibilidad del *free*, es lo que ofrecen los *antros*. Lo que en ellos se promueve es un contacto superficial, para pasar el rato, mediado por el alcohol y en ocasiones por drogas que expanden los límites sensoriales.

No quiere decir que siempre que vayas a un *antro* va a suceder lo que aquí describo. Te digo sólo cuál es el *objetivo* de quienes los idearon y promueven. Ir a uno de esos lugares puede ser tan sano o tan perjudicial como quienes van ahí. Conozco a un joven holandés que después de una vida de aventuras bastante desarreglada quiso buscar una esposa y sentar cabeza. Vino a México sin conocer a nadie, y encontró una chica en un *antro* de Acapulco. Comenzaron a bailar y, minutos después, ambos habían confirmado que no sólo era la atracción de un buen lejos. Se trataba de un verdadero descubrimiento. Acabó el holandés dándose cuenta de que la chica valía la pena (y ella igual), se casaron y han formado una familia feliz. Algunos años después de su boda, él encontró también la fe católica. Recibió el Bautismo y es un feligrés ejemplar.

Pero tampoco pienso que el caso anterior sea lo habitual. Alguien dice que en un *antro* todo está puesto a la vista para ser devorado en el momento mismo de provocar el apetito. El holandés y su actual esposa tuvieron suerte porque buscaban una relación formal. En condiciones normales, un ligue de *antro* no suele llevar otra connotación que la puramente sexual. Ya no digamos siquiera un atractivo de belleza (tiene una linda cara; una encantadora sonrisa; es una chica sencilla, nada creída). No: lo que se busca es *la chava con shortcitos,* blusitas pegadas, ombligueras o atrevidos escotes. No hay conocimiento previo que pueda despertar interés intelectual, admiración o algún tipo de sentimientos fuera del gusto de los sentidos. Otra vez: no está nada claro que de ahí pueda brotar el amor; lo que brota es el apetito.

No te digo que volvamos al modo de *ligar* de tus padres o tus abuelos, cuando caminaban en filita en un parque como pasarela para ver si algún chico le entregaba a la elegida un ramo de gardenias. A la siguiente vuelta, si ella le sonreía, la cosa iba bien. Este modo de *ligar* nos parece ahora un poco ridículo. Pero quizá también a la próxima generación o a la siguiente (a tus hijos o a tus nietos), o dentro de tres siglos, a los jóvenes de entonces le parezca la cosa más absurda la idea de que una chica atraiga a un muchacho moviendo el trasero con un gesto de ¡salud! y una copa en la mano [8].

[8] Esto del peligro de los *antros* no es algo nuevo. Siempre han existido lugares y costumbres *diseñadas* para excitar, es decir, ambientes donde se ofrezcan *ocasiones de pecado*. Los santos (es decir, aquellas personas que «piensan» y «sienten» según el pensamiento y el sentir de Dios) se han dado cuenta y han denunciado en distintas épocas tales ocasiones de pecado. En el siglo XIX, el que sería después patrono de todos los sacerdotes, denunciaba en su parroquia de Ars ese peligro. Quizá sus recomendaciones te parezcan totalmente fuera de moda, propias en todo caso de aquella época. Pero como la naturaleza humana no cambia... dales crédito, aunque sea un poco: "El gran mal será siempre exponerse a la ocasión. Si yo echo un vestido a una gran hoguera ardiente y grito: «No quiero que se queme», todos se reirán de mí, porque a pesar de mis deseos buenos, el vestido se quemó por completo. Así pasa con ciertas familias; permiten que sus hijas vayan a ciertos bailaderos públicos y dicen: «Queremos que se conserven puras», y las pobres muchachas se vuelven corrompidas e impuras. Más de la mitad de la juventud que ha perdido la pureza, la ha perdido en los bailes. El baile debilita y corrompe el corazón. El baile es una escuela para doctorarse en pasiones impuras. El baile es el resumen de muchos vicios y es una carrera alrededor de unos peligrosos precipicios, para terminar cayendo en el abismo del pecado. Es una guerra declarada a la castidad. Excita al pecado hasta a los más fríos. Allí la mujer pierde su pudor y si no cae a veces en pecados de obras, sí despierta muchos pecados de deseos".

(Después de leer todo esto, podrías tú misma contestar la pregunta de arriba: *¿Es malo ir a los antros?* Quizá sólo me baste por ahora recordar que esta denominación *–antro–* es bastante reciente. Antes no se les llamaba así. *Antro* viene del latín *antrum,* y éste del griego *ántron.* Significa «caverna, cueva». Desde el siglo XVII se denominaba así a los lugares que tenían mala reputación, por ejemplo, los prostíbulos o los escondites de ladrones. Por lo menos, el que comenzó a llamar así a los modernos *antros* no anduvo muy errado en la etimología)".

PERO, ¿ACASO ES TODAVÍA POSIBLE PENSAR EN UNA JUVENTUD PURA?

José Miguel Ibáñez, sacerdote chileno con amplia experiencia en los medios universitarios de Santiago, nos ofrece estas lúcidas y esperanzadoras consideraciones:

"Hoy se preguntan algunos por qué «obligar» a los jóvenes a abstenerse durante los años que van desde la capacidad sexual hasta el matrimonio. Son los mismos que lanzan o justifican campañas de salud donde el dominio de sí es reemplazado -arrasado- por toda una batería de aparatos técnicos. Ellos piensan que la edad juvenil es irrefrenable en sus compulsiones sexuales. En nombre del realismo, su idea de la juventud es bastante sórdida, y no pueden ganarse sino la oposición de los más limpios.

Sin duda a la gente joven, que recorre ese largo y ancho camino desde el despertar del sexo hasta su consumación en el matrimonio, puede hacérsele en extremo difícil vivir limpia y noblemente su adolescencia en medio de tanto escollo real como los rodea: la concupiscencia congénita de la carne es agravada por el entorno de una «cultura» que bombardea a mansalva con imágenes excitantes de toda especie, y que brinda a cada paso ocasiones fáciles de caer impunemente. Pero pensemos en ese hombre o mujer joven que, a pesar de todas aquellas dificultades, o más precisamente a través de ellas, aprende a vibrar desde temprano por grandes ideales de cultura, de trabajo, de espíritu, de deporte, de generosa responsabilidad social; que no se da tiempo para perder en el ocio; que cultiva toda una vida de oración y una recia disciplina de la voluntad por amor a Cristo; que respeta el cuerpo humano propio y ajeno como verdadero templo del Espíritu Santo; que guardando sus ojos y demás sentidos puede sustraerse de la suciedad ambiental; que tiene la suficiente personalidad para no ser arrastrado por modas y modelos de masa; que discurre maneras originales de divertirse –y más y mejor– fuera de los cauces establecidos por la frivolidad de alma; que en materia de alcohol respeta el umbral de su racionalidad plena; que en su vida social y afectiva es capaz de anteponer la donación de sí a su propia gratificación sensorial y emocional; que no se toma anticipos del matrimonio en su noviazgo o compromiso previo; que, si no consigue sin más esas altas metas –porque no se trata de un superhombre o de una supermujer, sino de una persona joven común y corriente–, al menos lucha con honestidad y perseverancia por estar a la altura. Pensemos en gente así –la hay tanta–, y tendremos el retrato vivo de una juventud que goza de paz y alegría; que fundará un matrimonio y una familia bien avenida, y que constituirá el tipo de ciudadano que nuestra sociedad necesita imperativamente"[9].

[9] JOSÉ MIGUEL IBÁÑEZ LANGLOIS, *Sexualidad Amor Santa Pureza*, Rialp, Madrid 2007, pp. 67-8.

¿QUÉ TIPO DE EDUCACIÓN SEXUAL DEBEN RECIBIR LOS QUE ESTÁN PRÓXIMOS A CASARSE?

La instrucción estrictamente prematrimonial rebasa el ámbito propio de los padres. No los excluye, pero hace precisa la intervención de expertos que proporcionen a quienes desean contraer matrimonio una orientación más especializada.

Dentro de esa orientación especializada hay que incluir, tratándose de novios católicos, la relativa al matrimonio como sacramento[10]. Es oportuna también la intervención de esposos bien avenidos –con varios años de casados y buen criterio–, que transmitan sus experiencias domésticas y sus maneras de superar las dificultades propias de la vida en común. Otros especialistas –ginecólogos, abogados, pediatras, psicólogos, orientadores familiares–, pueden intervenir oportunamente, siempre que se garantice la rectitud de sus aportaciones no sólo desde el punto de vista técnico, sino también desde el ético.

Como la unión matrimonial se ordena a la procreación de los hijos y al bien de los cónyuges, los padres y/o los orientadores prematrimoniales podrían enfatizar los siguientes puntos:

[10] Una síntesis útil como material de estudio a los futuros esposos la ofrecen los números 1601 a 1666 del *Catecismo de la Iglesia Católica.*

Grandeza del proyecto divino

- Dios ha hecho participar al hombre y a la mujer de su poder creador de dar la vida, haciéndolos co-creadores con Él. Para dar origen a una nueva vida, dispuso Dios hacer del hombre y de la mujer «una sola carne», un solo ser. De modo que los hijos son el fruto del amor de sus padres, como reflejo del amor con que Dios nos ha creado a todos. El amor es difusivo; por eso, los esposos tienden naturalmente a llamar a la vida a un nuevo ser para hacerlo partícipe de su amor y abrirle la posibilidad del Amor eterno en el Cielo.

La sexualidad y el amor

- Los esposos, a través de su sexualidad, se dan vida uno al otro y dan vida a su matrimonio. El regalo del placer conyugal los vivifica mutuamente, reforzando el amor esponsal. Hay una comunión espiritual que se encarna en la relación íntima. Los esposos deben buscar hacer de la relación sexual una expresión del mutuo amor, de ternura, de confianza, de aceptación del otro, de entrega sincera. De ese modo se ayudan a recorrer el camino personal que lleva a cada uno a realizarse en plenitud.

Apertura a la vida

- Estar abiertos a la vida supone una concepción muy rica de la existencia. Hace referencia al gozo de vivir y hacer vivir. Es el don más grande que, en lo humano, concede Dios al hombre. El número de hijos debe decidirse por los esposos, de modo responsable y de cara a Dios, evitando que el egoísmo, el materialismo o el temor condicionen su determinación. Deben estar prevenidos contra la «cultura de la muerte», que ve en los hijos una amenaza e induce la mentalidad anticonceptiva.

- Para los creyentes, esta participación en el origen de nuevas vidas no se queda en la mera existencia terrena, sino que se proyecta a la eternidad. La responsabilidad de los padres es, pues, gravísima y gozosa a un tiempo. Un hombre más, o un hombre menos, importa mucho; vale más que mil universos puesto que éstos acaban por desvanecerse y un hombre, en cambio, no muere jamás: sólo muere su cuerpo que, al cabo, resucitará en el último día. Y, principalmente, un hombre sólo, exclusivamente uno, vale toda la Sangre de Cristo.

Cultura de la vida

- Los métodos artificiales de control natal son siempre ilícitos (píldoras, preservativos, dispositivos, cirugías que tienen como fin la esterilización, etc.). Si existen razones gravemente proporcionadas, es lícito espaciar la llegada de los hijos (o evitarlos definitivamente), pero siempre empleando métodos naturales. Esos métodos naturales consisten en la realización del acto conyugal sólo en los períodos infecundos de la mujer, no en el onanismo [11].

[11] El nombre de onanismo está tomado de Onán, personaje bíblico de triste memoria que usaba de una mujer evitando la descendencia. Se advierte que el pecado es muy antiguo. Pues bien, "era malo a los ojos de Yahvé lo que hacía Onán, y lo mató también a él" (*Génesis* 38,10).

- Como familia abierta a la vida, los esposos cristianos han de tener clara la verdad del respeto a la vida desde su concepción hasta su término natural. Nunca, por ningún motivo, es lícito procurar el aborto, ni como fin, ni como medio (por ejemplo, para lograr la salud).

- Los futuros esposos han de saber que el hijo no es un «derecho», sino un don, un regalo de Dios. En caso de que no puedan procrear naturalmente, es posible recurrir a técnicas de asistencia que no separen el aspecto unitivo del aspecto procreativo del acto conyugal (tratamientos hormonales, por ejemplo). Es gravemente ilícita pretender la concepción rompiendo el doble significado del acto conyugal, por ejemplo, a través de la fecundación en laboratorio.

Matrimonio "Para hacer feliz"

Sería peligroso que el novio -o la novia- próximo a casarse se planteara su matrimonio como la oportunidad para «ser feliz». Naturalmente, hay que buscar la felicidad en el matrimonio, pero ésta se alcanza sólo cuando cada uno de ellos se casa «para hacer feliz al otro».

La felicidad -decía Carlos Cardona- es como el sueño en una noche de insomnio: cuanto más se concentra uno en aprehenderlo, más esquivo se hace. En cambio, si uno se olvida, es más probable que el sueño acuda. Si la única o la primera felicidad que buscan los novios es la propia, no puede decirse que amen al otro: se aman a sí mismos. La puerta de la felicidad no se abre hacia adentro, y quien se empeña en empujar en tal sentido sólo consigue cerrarla más. "La puerta de la felicidad se abre hacia fuera" -decía Soren Kierkegaard, hacia los otros. La felicidad es una resultante, la resultante de plantearse la vida en términos de hacer felices a los demás.

CASO: GONZALO

A primera hora de la mañana, Ramón se dispone a comenzar su clase de Ética para los alumnos de la maestría en dirección de empresas. A los quince minutos de haber comenzado aparece Gonzalo, que pide permiso para entrar. Se disculpa de su retraso y ocupa rápidamente su pupitre. Es alto, guapo, correcto, bien vestido.

Ramón ha observado que sus participaciones son atinadas y que toma apuntes de todo lo que dice el profesor. Gonzalo saca de nuevo su libreta y se pone a escribir. La clase de hoy se referirá a la importancia del matrimonio y la familia en el entorno de la empresa. La discusión se inicia cuando Ramón pregunta:

–¿Existe el amor eterno y para toda la vida?

Alguien levanta la mano y dice:

–No, yo creo que no. Eso de que el amor dura es un cuento. Basta con que abramos los ojos y veamos lo que pasa a nuestro alrededor:

familias que se desintegran, pleitos matrimoniales, infidelidades... No, yo pienso que la experiencia va en contra de esa afirmación, y por eso lo mejor es que cuando empiecen los problemas, cada uno se vaya por su lado y que intenten rehacer sus vidas.

Gonzalo se levanta como impulsado por una fuerza irresistible. Se acerca a su compañero y le grita con fuerza:

–¡Estás equivocado! ¡No sabes lo que dices! ¡Claro que existe el amor que dura para siempre!

Todos se quedan petrificados. Ante una reacción tan desproporcionada, alumnos y profesor intuyen que en el interior de Gonzalo se desarrolla un drama. Ramón dice con voz serena:

–Siéntate, Gonzalo, por favor, tranquilo.

El joven vuelve a su banca rojo de coraje. Poco a poco logra serenarse. El profesor retoma la palabra y dice:

–Acaban ustedes de presenciar cómo las opiniones se dividen. Si yo les dijera ahora: «Levanten la mano los que piensan que un amor puede durar para siempre», seguramente tendríamos unas manos levantadas y otras no. No sé cuántas, ni me interesa por el momento. Lo que sí me interesa es que me contesten otra pregunta, parecida a la anterior pero modificada. Por favor, levanten la mano aquellos alumnos o alumnas que desearían encontrar un amor que dure siempre. Sí: levanten la mano aquellos que quisieran para el resto de sus días una relación que se mantenga fiel y segura en medio de las alegrías y las penas, la salud y la enfermedad, los éxitos y los fracasos.

En ese momento, todas las manos se levantaron. Continuó el profesor:

–En efecto, todos deseamos una relación así. Puede que exista, puede que no exista. En el primer caso, nuestro corazón –que eso desea– resultaría un horrible fraude, pues nos llevaría a desear algo que no puede ser.

La segunda posibilidad es pensar que nuestro corazón no es un horrible fraude, sino que desea algo que realmente puede llegar a darse. En esto, Gonzalo tiene razón: sí existe el amor que dura para siempre. Es verdad que puede ser difícil de lograr, que se dan situaciones familiares y matrimoniales donde existen constantes tensiones, decepciones, e incluso violencia (en este momento Gonzalo agachó su cabeza hasta las rodillas), *pero también es verdad que decidirse a amar a alguien para siempre es la característica del amor verdadero.*

La clase continuó con otras preguntas, comentarios y debates. Al terminar, los alumnos llenaron el cuestionario de evaluación. Gonzalo escribió en su hoja con letras grandes:–*¡Estas clases son lo mejor que me ha pasado en la vida!*

Ramón reflexiona luego la situación vivida en el aula. El padre de Gonzalo, de clase social elevada, es alcohólico y, muchas noches, los dueños de los bares que más frecuenta llaman a Gonzalo para que pase a recogerlo. Su madre no le permite nunca que vaya solo: ella lo acompaña siempre. Es ella la que le da fuerzas para el perdón y para la comprensión. Por eso llegó tarde a la clase de hoy. De la memoria del profesor no se aparta el grito del joven: *¡Claro que existe el amor que dura para siempre!*

¿CÓMO ARGUMENTAR LA INTERVENCIÓN DE DIOS EN LA PROCREACIÓN?

Primero, resaltando la realidad de que el fruto de una concepción es un ser humano, poseedor de un alma eterna e inmortal. La aportación de los padres es, en la fecundación, puramente biológica: transmiten células, formadas por elementos químicos: hidrógeno, oxígeno, nitrógeno, fósforo. De ahí, como es obvio, no puede emanar un alma espiritual: se precisa la intervención de Alguien –que sea, a su vez, espiritual y capaz de crear realidades espirituales– que la infunda.

Puede también ayudar a comprender la intervención de Dios en la procreación, el análisis del proceso de la fecundación. Ésta se produce en la fusión de una célula germinal femenina (óvulo) con una célula germinal masculina (espermatozoide). Ésta última es extraordinariamente pequeña y móvil; en cambio, la femenina suele ser bastante grande por su rico contenido en alimentos. La salida de las células masculinas en cada eyaculación –es decir, en unos 3 ó 4 cm^3 de líquido seminal– contiene de 200 a 500 millones de espermatozoides. Ahora bien: *un único* espermatozoide fecunda *un único* óvulo (a menos que haya gemelos). Entonces, ¿por qué ese derroche de espermatozoides?

Podemos encontrar una explicación biológica: porque el camino desde la vagina hasta el lugar de la fecundación es largo y está lleno de obstáculos. Una parte de los espermatozoides se pierde en los pliegues del útero o en las trompas; otros se dirigen a la trompa contraria donde no había ovulación, de modo que sólo una parte pequeña alcanza su destino. De los que llegan, uno sólo consigue la meta: atraído por sustancias químicas, se pone en contacto con el óvulo y, gracias a otras sustancias que él mismo produce, disuelve la capa celular que rodea el óvulo y puede penetrar en su interior. Se realiza entonces el contacto del pronúcleo de la cabeza del espermatozoide con el pronúcleo del óvulo. Se mezclan los cromosomas aportando cada uno la información genética, produciendo la primera célula del nuevo organismo: el cigoto, que tiene ya desde ese instante predeterminadas sus características y su sexo.

Hay un nuevo ser humano. ¿Qué ser humano? El que estaba previsto en la Mente divina. A ese óvulo pudo haberlo fecundado algún otro de los 500 millones de espermatozoides depositados en la vagina, pero fue específicamente ése. Por encima de las explicaciones biológicas, nos encontramos con misterios teológicos profundos. Acaba de ser creado un ser único, irrepetible, distinto a todos los demás, que tiene un proyecto, un sentido vital, único también. ¿No aparece aquí, de manera muy clara, la intervención de una Mente superior que ordena toda la realidad creada?

VI. INFLUJOS SOCIALES

¿CUÁLES SON LOS MÉTODOS ERRÓNEOS DE INFORMACIÓN SEXUAL?

Son métodos erróneos todos aquellos que «banalizan» la sexualidad humana, presentándola de manera reductiva y empobrecida, relacionándola únicamente con el cuerpo y el placer egoísta. Por eso,

> *"La Iglesia se opone firmemente a un sistema de información sexual separado de los principios morales y tan frecuentemente difundido, el cual no sería más que una experiencia del placer y un estímulo que lleva a perder la serenidad, abriendo el camino al vicio desde los años de la inocencia"*[1].

La presentación sesgada de información sexual aparece –de acuerdo al Pontificio Consejo para la Familia [2]–, en los siguientes tres enfoques:

1º En primer lugar, los padres deben rechazar la educación sexual *secularizada* (Dios al margen de la vida) y *antinatalista* (considerar el nacimiento de un hijo como una amenaza).

[1] JUAN PABLO II, Ex. Ap. *Familiaris consortio*, n. 37.

[2] PONTIFICIO CONSEJO PARA LA FAMILIA, *Sexualidad humana: Verdad y significado*, 8-XII-1995.

Promueven este tipo de información grandes organismos y asociaciones internacionales promotoras del aborto, la esterilización y la contracepción. Buscan suscitar entre los niños y los jóvenes el temor con la "amenaza de la superpoblación", para promover así la mentalidad contraceptiva, es decir, una mentalidad "anti-vida". Al mismo tiempo, difunden falsos conceptos sobre la "salud reproductiva" y los "derechos sexuales y reproductivos" de los jóvenes.

Estos serían algunos de los *slogans* que desenmascarar:

–la amenaza de la superpoblación;
–la mentalidad anti–vida;
–los bulos acerca de la "salud reproductiva" y, por último,
–los "derechos reproductivos" de los jóvenes.

De ahí se derivan ideologías que promueven clínicas que, violando los derechos de los padres, ofrecen el aborto y la contracepción, fomentando la promiscuidad y el incremento de los embarazos entre las jóvenes. Esta tendencia apoya "el derecho a hacer todo" desde la más tierna edad, sin límite alguno, pero con la mayor seguridad posible. Tal ideología presenta la entrega desinteresada de sí, el control de las tendencias y el sentido de la responsabilidad como nociones pertenecientes a otra época.

2º Otro abuso tiene lugar cuando se imparte la educación sexual enseñando a los niños, también gráficamente, todos los detalles íntimos de las relaciones genitales.

Esta deformación se da con el pretexto de ofrecer una educación para el "sexo seguro", sobre todo en relación con la difusión del SIDA [3].

"En este contexto, los padres deben rechazar la promoción del llamado «safe sex», una política peligrosa e inmoral, basada en la teoría ilusoria de que el preservativo (condón) pueda dar protección adecuada contra el SIDA. Los padres deben insistir en la continencia fuera del matrimonio y en la fidelidad en el matrimonio como la única verdadera y segura educación para la prevención de dicho contagio" [4].

3°, El Pontificio Consejo para la familia advierte de otro método inadecuado: "es la llamada «clarificación de los valores». Los jóvenes son animados a reflexionar, clarificar y decidir las cuestiones morales con la máxima «autonomía» ignorando, sin embargo, la realidad objetiva de la ley moral en general, y descuidando la formación de las conciencias sobre los preceptos morales específicos cristianos, corroborados por el

[3] Dice una experta: "Los preservativos también han sido escogidos como medio para proteger a los jóvenes de la epidemia del SIDA. Es una gran irresponsabilidad recomendar los preservativos para una enfermedad que todavía no tiene cura. Es verdad que con el preservativo hay más seguridad que si no se toma ninguna medida, pero la tasa de riesgo es del 10 al 20%. Por esto es una peligrosa ilusión fiarse de este método de protección. ¿Cómo se puede hablar de sexo seguro cuando se promociona el uso de protectores que fallan tanto? Aquí no se trata de evitar o no una nueva concepción, sino de evitar o no un contagio letal" (ANA OTTE, *Cómo hablar a los jóvenes de sexualidad,* Ediciones Internacionales Universitarias, Madrid 2006, pp. 79-80).

[4] PONTIFICIO CONSEJO PARA LA FAMILIA, *Sexualidad humana...,* n. 139.

Magisterio de la Iglesia [4]. Se infunde en los jóvenes la idea de que un código moral ha de ser algo creado por ellos mismos, como si el hombre fuera fuente y norma de la moral.

Este llamado método de clarificación de los valores obstaculiza la verdadera libertad y la autonomía de los jóvenes durante un período inseguro de su desarrollo [5]. No sólo favorece en la práctica la opinión de la mayoría, sino que se coloca a los jóvenes ante situaciones morales complejas, lejanas de las normales elecciones éticas que deben afrontar, donde el bien o el mal se reconocen con facilidad. "Este método tiende a aliarse estrechamente con el relativismo moral, estimulando la indiferencia respecto a la ley moral y el permisivismo"[6].

4°, En relación a la enseñanza escolar de la sexualidad, el Pontificio Consejo señala que "los padres han de prestar atención también a los modos con los cuales la instrucción sexual se inserta en el contexto de otras materias, sin duda útiles (por ejemplo: la sanidad y la higiene, el desarrollo personal, la vida familiar, la literatura infantil, los estudios sociales y culturales, etc.). En estos casos es más difícil controlar el contenido de la instrucción sexual. Dicho método de la inclusión es utilizado especialmente por quienes promueven la instrucción sexual en la perspectiva del control de los nacimientos o en los países donde el gobierno no respeta los derechos de los padres en este ámbito. Pero la misma catequesis quedará distorsionada si los vínculos inseparables entre la religión y

[5] Cf. JUAN PABLO II, Enc. *Veritatis splendor*, nn. 95-97.

[6] Cf. *Ibid*., n. 41, sobre la verdadera autonomía moral del hombre.

moral fueran utilizados como pretexto para introducir en la instrucción religiosa informaciones sexuales, biológicas y afectivas, que sólo los padres han de dar según su prudente decisión en el propio hogar" [7].

ABUSOS SEXUALES

Millones de niños y adolescentes a lo largo y a lo ancho del planeta sufren de abuso sexual. ¿Es algo propio de nuestra época? No hay pruebas que la incidencia sea mayor que en el pasado. Lo que sí es propio de nuestra época es una mayor detección de casos, aunque sólo se conozcan entre el 10 y el 20 porciento de dichos eventos. Se estima que el abuso sexual dirigido a niñas y a adolescentes mujeres es un 50% superior que el orientado a varones de las mismas edades.

El mal tiene muchos rostros y no podemos evitar encontrarnos con él. Negar su existencia dificulta prevenir su daño o actuar con eficacia cuando ya ha sucedido. El abuso sexual puede ocurrir en la misma familia: a manos de un padre, un padrastro, un hermano, un primo, un tío. También de personas cercanas: maestros, vecinos, cuidadores. A veces –sobre todo si se trata de desconocidos–, viene acompañado de violencia física. En cualquier caso, el niño o el adolescente que ha sufrido abuso sexual desarrolla una variedad de pensamientos e ideas angustiantes. No hay niño ni adolescente blindado ante dichas agresiones.

[7] PONTIFICIO CONSEJO PARA LA FAMILIA, *Sexualidad humana…*, n. 140.

Medidas preventivas

Enlistamos algunas medidas preventivas para los padres:

1.- De vez en cuando, di a tus niños algo como lo siguiente: "Si alguien trata de tocarte el cuerpo y de hacer cosas que te hacen sentir raro, dile que NO a esa persona, y cuéntalo en casa enseguida".

2.- Para ello, trasmíteles la seguridad de que, en casa, todo se puede contar, dedicando a tus hijos una «escucha de calidad» cuando vengan a compartir sus pequeños asuntos. Atiende sus dudas y responde sus preguntas con sencillez y serenidad. Los cauces de comunicación deben permanecer siempre abiertos.

3.- Enseña a tus niños que el respeto a los mayores no quiere decir que tengan que obedecer ciegamente a los adultos. Un mal slogan sería, por ejemplo: "Siempre tienes que hacer lo que te mande el profesor (o el vigilante, o tu tío)".

4.- Habla claro con tu niño(a), sin tabúes ni prejuicios, sobre la sexualidad. Explícale la diferencia entre una expresión de cariño y una caricia sexual.

5.- Demuéstrale confianza y cariño. El miedo al papá o a la mamá dificultaría grandemente la comunicación en una situación crítica.

6.- Créele cuando te dice que está en riesgo de ser abusado sexualmente.

Los padres deberán estar atentos para prevenir cualquier posibilidad de peligro: excesiva familiaridad de algún adulto con los niños, situaciones en que puedan quedarse el niño o la niña solos, baños públicos, gimnasios, clubs deportivos, etcétera.

A los padres puede servir de orientación conocer algunas características de potenciales agresores. Son las siguientes:

1ª. Son mayoritariamente varones. Las agresiones procedentes de una mujer son muy raras. Generalmente se tratará de hombres adultos y jóvenes, y también de adolescentes.

2ª. Aparentemente son personas normales, pero presentan problemas de socialización y serias carencias en valores.

3ª. Suelen ser agresivos o retraídos, y muy insensibles. Tienen escasa capacidad para ponerse en el lugar de otros y compartir sus sentimientos (empatía).

4ª. No saben seducir a sus iguales, los adultos.

5ª. En la mitad de los casos, son desconocidos. En la otra mitad, se trata de familiares o conocidos de las víctimas.

6ª. Sólo en un 10% de los casos emplean la violencia. Habitualmente recurren al engaño, tratan de ganarse la confianza de las víctimas o se aprovechan de la confianza familiar. Utilizan estrategias como el factor sorpresa, las amenazas y los premios o privilegios de diferente tipo.

7ª. La mayoría no son pedófilos, es decir, adultos que se sienten orientados sexualmente de modo exclusivo o preferente por los niños. Tienen, simplemente, descontrol en su libido.

¿Qué conductas en el niño o en el adolescente pueden hacer sospechar situaciones de abuso sexual?

Por principio de cuentas, es importante saber que cuando los niños o los adolescentes avisan de una situación de abuso sexual, generalmente no mienten. Y aunque no hablen, siempre es posible detectar cambios de conducta procedentes de dichas agresiones. Según las edades, estos serían algunos cambios de conducta previsibles:

Niños en edad preescolar:
Cambios bruscos de actitud, incontinencia urinaria, irritabilidad, llanto, inquietud. Trastornos del sueño: dificultad para conciliarlo, pesadillas, terrores nocturnos. Miedos a determinadas personas y lugares. Juegos sexuales reiterados, masturbación compulsiva.

Niños en edad escolar:
Trastornos de conducta (problemas con sus padres, cambios de humor). Trastornos del sueño, del aprendizaje y de la alimentación. Conocimientos sexuales inapropiados para su edad. Trastornos de la imagen corporal. Somatizaciones.

Adolescentes:
Mala relación familiar, dificultades con sus semejantes,

aislamiento, intentos de suicidio, fuga del hogar, consumo de alcohol y de drogas, depresión. Trastornos del aprendizaje y de la alimentación. Contactos sexuales promiscuos.

¿Qué hacer si ya tuvo verificativo el abuso sexual?

El tratamiento de estos problemas debe ser realizado por un equipo multidisciplinar: además de los padres, es precisa la intervención del pediatra, del psicólogo, del sacerdote y, en su caso, de un abogado que dé su aporte legal. Como la etapa primera es casi siempre conducida en solitario por los padres, estos pueden poner en práctica las siguientes medidas:

1°. Animar a los hijos a que hablen con confianza («Puedes contarme lo que sea»; «En esta vida todo tiene arreglo»; «Yo puedo ayudarte con cualquier problema que tengas»).

2°. Creerle. No hay que cuestionar la veracidad de los hechos porque –dijimos–, cuando los niños o los adolescentes refieren un abuso, casi nunca mienten.

3°. Quitarle el sentido de culpa que seguramente se le ha generado («Tú no hiciste nada malo»; «No pudiste evitarlo»).

4°. Que se sienta orgulloso de haberlo contado («Quienes comunican estas cosas son valientes»).

5°. Asegurarle que el evento no se repetirá, y que no habrá represalias («Ahora que ya lo contaste, no volverá a suceder»). No manifestar alarma ni angustia.

6º: Aumentar las muestras de afecto: su trauma le hará sentirse mal, y necesita saberse seguro y amado [8].

¿QUÉ DAÑOS OCASIONA LA PORNOGRAFÍA?

La pornografía no es algo nuevo, pero se ha convertido en una plaga que alcanza proporciones universales. Lo que antes se circunscribía a revistas reservadas o se limitaba a ciertos ambientes, está ahora al alcance de todos en un teléfono, una computadora o en cualquier televisión. Invade calles, modas, conversaciones, películas, canciones, videos, celulares y otros aparatos al alcance de niños y jóvenes. Y, de modo muy significativo, la red cibernética.

Hay quien no duda en descubrir «el sello de lo satánico en el modo como en Occidente se explota el mercado de la pornografía y de la droga». «Sí, hay algo de diabólico en la frialdad perversa con que, en nombre del dinero, se corrompe al hombre aprovechando sus debilidades y su posibilidad de ser tentado y vencido. Es infernal la cultura de Occidente cuando persuade a la gente de que el único objetivo de la vida son los placeres y el interés individual»[9].

[8] Un caso de abuso sexual (Alicia) puede verse al inicio de esta obra: pp. 50 a 52.

[9] JOSEPH RATZINGER, *Informe sobre la fe*, BAC, Madrid 2005, p. 209.

La pornografía es hoy el entretenimiento oculto de innumerables personas de toda edad, estilo de vida y nivel económico. Buscar pornografía en la red es quizá la adicción de más rápido crecimiento en el mundo. Se ha convertido en una empresa multimillonaria que mueve más dinero que el generado por el deporte profesional.

Este vicio impide descubrir la belleza del verdadero amor e incrementa el aislamiento emocional, la soledad y la actividad sexual con uno mismo y con otros. Tiene como postulado básico la explotación del ser humano:

> *Siendo un joven sacerdote, Juan Pablo II escribió un libro titulado "Amor y responsabilidad". Surgió como fruto de su trabajo pastoral con universitarios, que incluía la preparación matrimonial. Mientras algunos dirían que lo opuesto de amar es odiar, él enseñaba que lo opuesto de amar es usar. Si no amas a alguien –decía Wojtyla–, terminarás usando a esa persona. Esta primacía de la persona la llama "Norma Personalista"*[10].

Al adicto a la pornografía se le oscurece la dignidad de la persona: primero la de quien aparece en dichas manifestaciones, y luego de la propia. Se asocia a actos de violencia sexual y de violencia en general; ha costado a personas sus empleos, ha destruido hogares y ha ocasionado la pérdida de la vocación divina a muchos que habían sido llamados. En la base de todo ello está la incapacidad, para quien cae en sus redes, de

[10] KAROL WOJTYLA, *Amor y responsabilidad*, Ed. Razón y fe, Madrid 1969, *passim*.

apreciar las cosas espirituales: "el hombre animal no percibe las cosas que son del Espíritu de Dios" [11].

La pornografía atenta contra la modestia, la castidad y la verdad

La pornografía atenta contra la *modestia,* la *castidad* y la *verdad.* Atenta contra la *modestia* –que protege la privacidad de los individuos–, al invadir lo que es más personal e íntimo. Desvelar lo que debe permanecer oculto es una afrenta a la dignidad humana.

La pornografía conculca la *castidad,* cuya finalidad es servir al amor. La pornografía ve a otro ser humano (o a las descripciones explícitas de los actos sexuales) como objetos para uso y consumo. Con frecuencia surge del egoísmo y del narcisismo. Reemplaza amor por uso: y las personas –de acuerdo a la *Norma Personalista*– nunca han de ser vistas como simple medio, en este caso, como medio para obtener placer.

Las personas no han de ser usadas para satisfacer emociones, compulsiones o adicciones ajenas. Parafraseando a Juan Pablo II, el problema de la pornografía no es que revele mucho de la persona (expuesta en la imagen), sino que revela demasiado poco de ella. Las imágenes pornográficas están diseñadas para desvelar sólo las partes del cuerpo que determinan el sexo. Pero por ningún lado aparece la personalidad:

[11] *I Cor* 2,14.

única, irrepetible, con destino eterno y vocación propia. No deja ver la profundidad de su alma, ni sus anhelos... ni siquiera su nombre. Convertida en objeto para ser usado, pierde su verdad de sujeto único e irrepetible.

La pornografía viola la *verdad*. Transporta al usuario a un mundo irreal, de fantasía, que lo aísla de otras personas y de compromisos reales. Distorsiona el respeto que debe regir las relaciones humanas. Muchos buscan la pornografía llevados por la soledad. Es una dolorosa ironía que al caer en esta adicción el sujeto se aísla más. Y cuanto más se involucra en este mundo de fantasía, tanto más desconectado está de la gente real, de los asuntos reales, de la vida real que lo circunda. La lujuria aísla. La pornografía aparta de la verdad.

El uso de la pornografía suele inducir a otras formas desordenadas de gratificación sexual. No se limita a ser un vicio "privado". La pornografía puede ser tan física y químicamente adictiva como el alcohol, las drogas o el juego. Las imágenes pornográficas se graban en la imaginación. Se despierta con ello una necesidad progresiva de imágenes más y más estimulantes. El uso de la pornografía causa cambios físicos intensos en el cerebro, que refuerzan pensamientos y actos desordenados.

Con la repetición en número y el incremento en intensidad, los pensamientos del adicto se convierten en obsesiones, y aparece la conducta compulsiva. Sus relaciones interpersonales se distorsionan: los demás aparecen como objetos –objetos sexuales–, en lugar de aparecer como personas con capacidad para el amor y la amistad. Su obsesión le lleva a preguntarse en cada encuentro: *¿Me podría dar ella (él) la gratificación que necesito?* Tanto más frecuente y profundamente suceda, tanto más difícil será el camino de regreso a la libertad. Como otras adicciones, la pornografía es una adicción progresiva. Requiere más y más presentaciones gráficas para alcanzar el efecto deseado.

El caso de Internet es particularmente destructivo. Ahí la pornografía no requiere inversión económica; todo el material puede ser intercambiado y resulta completamente accesible. No existe límite de tiempo ni, aparentemente, de posibilidades. Es también inquietante la disponibilidad de esas imágenes en *Ipods* y celulares. Los niños cuyos padres restringen (acertadamente) el acceso a la computadora en el hogar, se hallan indefensos ante la posibilidad de obtener imágenes por esos otros medios.

Vivimos en una cultura que es progresivamente más oscura y de muerte. Todos estamos expuestos a absorber esas influencias negativas –como una planta absorbe por las raíces lo que hay en el suelo o "cultura" en la que está plantada–, casi sin notar que estamos siendo lentamente envenenados.

Esta adicción tiene en su contra el peligro de no advertirse, por lo menos no tan claramente como otras.

El educando es más vulnerable a pecados secretos:
1) cuando esté solo, o con ciertas personas, igualmente atadas;
2) cuando los materiales están disponibles;
3) cuando le sobra tiempo.

¿Qué hacer cuando alguien se encuentra sumido en esta adicción?

Antes que nada, el adicto debe reconocerla. El primer paso es aceptarla, admitiendo también que está indefenso ante la propia adicción. La gente no enfrenta los problemas que se niega a aceptar.

Lo anterior no es fácil de lograr. Esta adicción lleva al sujeto a permanecer preso en su silencio. El miedo y la vergüenza pueden resultarle factores constrictivos. Así lo explicaba -hace ya muchos siglos- un profundo conocedor del alma humana:

> *"...quando el enemigo de natura humana trae sus astucias y suasiones a la ánima justa, quiere y desea que sean recibidas y tenidas en secreto; mas quando las descubre a su buen confessor o a otra persona spiritual, que conosca sus engaños y malicias, mucho le pesa: porque collige que no podrá salir con su malicia comenzada, en ser descubiertos sus engaños manifiestos"* [12].

Así, pues, un prerrequisito para superar la esclavitud es romper el silencio. Comunicar la adicción a otra persona puede ser intimidante, pero también liberador.

[12] SAN IGNACIO DE LOYOLA, *Ejercicios Espirituales*, 1ª semana, 13ª regla.

Los sistemas de apoyo vendrán a ser análogos a los empleados en la práctica de la castidad. A ellos nos remitimos (ver pp. 187-193), recordando que en todo el terreno de la sexualidad, la solución de fondo proviene de la reeducación en el amor.

¿Y si la adicción pornográfica se refiere al mismo sexo?

Así como las causas de la pornografía heterosexual pueden buscarse en la debilidad de carácter, en el egoísmo o en el narcisismo, la pornografía homosexual está fuertemente relacionada con una débil confianza en la propia masculinidad, con la soledad y con una pobre imagen corporal. Reconocer estos factores cooperantes puede ayudar a la persona a comenzar a buscar caminos que reorienten sus relaciones de una manera más sana y generosa.

¿QUÉ DECIR SOBRE LAS CAMPAÑAS DE DIFUSIÓN DE PRESERVATIVOS?

Es frecuente que en los medios de comunicación, en escuelas, en clínicas o consultorios médicos se recomiende a los jóvenes que, para prevenir las enfermedades de transmisión sexual y evitar el embarazo, se empleen preservativos. A las jóvenes también se les aconseja que, para evitar los embarazos, aprendan a usar el diafragma vaginal o que tomen pastillas anticonceptivas.

Además de afirmar que la eficacia profiláctica de tales medios no es absoluta[13], lo realmente pernicioso de esa publicidad es la permisividad que promueven. Afirman como hecho incuestionable que el uso de esos elementos es algo natural, necesario e inevitable. No dan alternativas.

Los jóvenes tienen una especie de connaturalidad con los ideales altos y el amor verdadero. Pero ante la insistencia en reducir la sexualidad a lo puramente biológico, muchas veces son los adultos mismos los que ayudan a desmontar sus ideales de amor. En vez de educar adecuadamente, se les empuja a iniciar las primeras relaciones coitales a edades cada vez más tempranas.

En lugar de promover la búsqueda del amor auténtico y fomentar la continencia antes del matrimonio, se ofrecen métodos de protección. En lugar de enseñar que la castidad es posible, y es fuente de crecimiento humano y espiritual, se presenta como postura anticuada e irrealizable. No cabe duda que es más fácil vender preservativos que educar para el amor [14].

[13] Es verdad que usando el preservativo existen menos riesgos de contagio. Sin embargo, la probabilidad de contagiarse de SIDA empleándolos es del 10 al 20%. ¿Alguien recomendaría, por ejemplo, subirse a un avión con esa probabilidad de caerse? ¿O buscaría, por el contrario, métodos absolutamente seguros?

[14] En este sentido, cabría recordar que es moralmente ilícito fabricar o distribuir preservativos y anticonceptivos, ya que su empleo no puede admitir justificación. Desde la enseñanza moral católica, se trata de un medio «intrínsecamente malo», y por tanto incapaz de obtener una valoración moral positiva. En este caso se encuentran, por ejemplo, los laboratorios, las farmacias o los comercios que los fabrican o expenden, así como los médicos que los prescriben y recomiendan.

Quienes están al frente de los gobiernos deberían preocuparse por la salud moral de la juventud y no, como sucede en algunas ocasiones, de su corrupción. Todo cuanto aumenta la fuerza moral del hombre es verdadero bien común, todo cuanto la disminuye, es un acto de destrucción en el árbol de la humanidad. Queda en pie aún hoy lo que dijo Salviano respecto del antiguo imperio romano:

"Sus enemigos no pudieron vencerlo, lo venció el pecado"

La patria no es un mapa, no es la montaña, no es el valle, no es un concepto abstracto; el futuro de la nación late en la juventud. Por tanto, es labor de eugenesia positiva, más valiosa que cualquier otra, pregonar la continencia hasta el matrimonio, y exigir a los cónyuges una vida moral. La observancia fiel de la ley divina y de la moral cristiana es la mejor garantía para un porvenir halagüeño. El presente de la juventud es el futuro de la patria. Tiene razón Hilty cuando escribe: "Es un fenómeno que vemos todos los días, que los hijos y nietos de hombres ricos, los que solamente heredaron dinero y no una vida moral, perecen dentro de poco. Lo mismo sucede si se trata de pueblos enteros; el desmoronamiento causado por la inmoralidad creciente no puede ser impedido por ningún arte de gobierno".

LA INFLUENCIA DE LOS MEDIOS ELECTRÓNICOS

La televisión

Mientras los niños son pequeños, debería ser fácil a los padres controlar los programas que ven. Pero no siempre es así. Son pocos los programas y espectáculos realmente infantiles con las características que ello requiere: entretenidos y estimulantes de la imaginación. Muchos programas de televisión para niños hacen apología de una refinada violencia, de escenas eróticas explícitas o de personajes que son antítesis de lo que el niño debería ser mañana.

Cuando esos niños llegan a la adolescencia, llevan impresos en su psiquismo tales recuerdos. Se dificulta entonces hacerles comprender los verdaderos valores de la vida. La violencia, por ejemplo, recibida a través de los medios electrónicos, puede llevar al educando a no distinguir la violencia real de la violencia construida. Y, violencia por violencia, las imágenes son las mismas. Es por ello necesario proteger a esa niñez y a esa juventud. Es responsabilidad de todos, muy particularmente de los padres de familia.

Los padres de familia y los educadores deben advertir que la televisión es la gran pitonisa de nuestro tiempo. Está demostrada la gran influencia ("arrolladora" decía el Papa Juan Pablo II) y el poder de sugestión que tiene sobre los telespectadores, especialmente si son menores. Poder que afecta a todos los campos pero especialmente al afectivo, con la consiguiente deformación si el tema del amor es tratado de manera simplemente materialista. Puede convertirse en el gran canalizador de sus emociones e incluso en el gran devorador de sus decisiones de conciencia.

La experiencia de cada día puede aportar datos de la frecuencia con que actualmente los programas de televisión tratan asuntos de sexualidad de forma soez e inmoral. Los modelos simbólicos que se presentan revisten las siguientes connotaciones [15]:

–*Sexualidad e imagen corporal perfecta.* Los modelos son, en lo masculino, el prototipo de perfección física: fuertes, musculosos, guapos. Ellas salen peinadas y maquilladas de las camas y las piscinas; delgadas, sin un gramo de celulitis, perfectas en toda situación. El modelo ofrecido es sencillamente imposible.

–*Sexualidad y poder.* Quienes tienen más dinero y emplean ropa más fina, mejores coches o casas, tendrán siempre mayores posibilidades de conseguir sexo. Todo vale si el fin es obtener un beneficio económico o social.

–*Sexualidad y consumo de sustancias.* Se liga en fiestas, bares y discotecas y, mientras se liga, se bebe alcohol. Se establecen fuertes asociaciones entre diversión y consumo, que se manifiestan posteriormente en hábitos que las instituciones no saben cómo reconducir.

–Por último, nos queda la asociación *sexualidad-genitalidad.* Las parejas se conocen, «se gustan», se besan y acarician y, rápidamente, aparecen escenas explícitas de sexo, donde los jóvenes intentan «aprender» un mundo que desconocen, sin saber que, en lo que ven, «cualquier parecido con la realidad

[15] Cfr. NIEVES GONZÁLEZ RICO, *Hablemos de sexo a nuestros hijos,* Palabra, Madrid 2008, p. 170.

es mera coincidencia». Todo transcurre en espacios cortos de tiempo, por lo que fácilmente establecen relaciones causa-efecto".

A diferencia del cine, la televisión es un agente de normalización social. Eso significa que, para ver una película en una sala de cine hace falta cambiar el entorno habitual: arreglarse, salir de casa, desplazarse, pagar la entrada, compartir el evento con gente ajena, etc. En cambio, la televisión es una especie de huésped permanente en el hogar, e introduce personajes que pueden hacerse más familiares que los mismos miembros de la familia.

Sin embargo, descubramos que la televisión es al mismo tiempo «sumisa y modesta». Es sencilla y no avasalla a nadie. Se sabe en manos del destinatario y respeta las decisiones del mismo. La televisión, simplemente, ofrece su producto. El mando está en el usuario: el aparato no se va a quejar de nadie. Por ello, es preciso que los padres preparen a sus hijos para saber usarla moderadamente. Aunque aparentemente sea apisonadora, podemos visualizarla también como una simple opción. Para la creatividad de los padres será, pues, un reto acostumbrar a que sus hijos sepan dedicar su tiempo libre a otros entretenimientos que siempre resultan más formativos (deportes, aficiones, juegos, lecturas, etc.).

Si en una familia se establece el hábito de ver sólo aquellos espacios televisivos que se han previamente seleccionado por su calidad, resultará fácil que los hijos incorporen esa norma a su futura conducta. Si los padres acostumbran ver los programas junto con los hijos, es posible señalar lo que ahí se propone con criterio ético. La televisión no tiene que ser la opción para sacudir el aburrimiento en esas largas horas en que el educando no tiene nada que hacer. El destinatario verdadero no ha de ser el sujeto aislado, sino el grupo familiar: la televisión puede plantearse entonces como actividad familiar. Dos, cuatro o cinco pueden ver más y mejor que lo que es capaz de ver una persona solitaria.

Aunque sea algo tan extendido, los padres siempre tendrán el deber de proteger la intimidad y la pureza de su hogar. Si los hijos van a otra casa o establecimiento a ver lo que no pueden ver en su hogar, eso es ya una enseñanza. Sabrán que «eso» no se ve en su casa, y tarde o temprano comprenderán que sus padres intentaron educarlos en valores culturales y espirituales positivos.

Si bien no se excluye en este campo la responsabilidad pública y de los mismos profesionales que no respetan la intimidad del hogar, serán los padres quienes deberán defender la salud moral (y mental) de sus hijos por todos los medios posibles. Está en primer lugar la protesta –ante quien corresponda–, de toda programación que se juzgue inadecuada. Hay cauces establecidos para ello y podrían abrirse otros que hicieran más eficaz el control sobre el contenido de lo que se ofrece en la pequeña pantalla, especialmente en horarios con mayor audiencia juvenil e infantil.

Internet

Muchos de los conceptos referidos a la televisión son aplicables al empleo de la red informática. Añadiremos tan sólo que la responsabilidad de los padres es aquí, si cabe, más acuciante: el riesgo de adicciones pornográficas y de otros contenidos perjudiciales se multiplica. Además de la instalación de filtros adecuados y del correcto empleo del tiempo mientras se está conectado a la red (no suele ser prudente «navegar» en Internet sin objetivo claro), repetimos que en el fondo de toda educación sexual se ubica la educación en el amor: y el amor implica dedicación de tiempo de unos a otros, comunicación, encuentro de objetivos comunes, planteamiento de la vida como servicio y, sobre todo, establecimiento de cauces para la comunión con Dios.

En cualquier caso, existen alternativas para potenciar adecuadamente el uso de Internet. Una de ellas es utilizar la función de «favoritos»: se trata de ir archivando aquellas páginas de interés que, posteriormente, volverán a ser utilizadas.

EPÍLOGO

MIRRA

En el siglo XVIII se produjo la 'revolución industrial'; en el siglo XX, la 'revolución sexual'. Y así como se necesitaron dos siglos para que la sociedad dejara de considerar al hombre como objeto de uso dentro de la producción industrial, será preciso también que pase mucho tiempo para que la sociedad deje de considerar al hombre como objeto de uso para el placer sexual.

¿Cómo recuperar la imagen del cuerpo humano como fuente de pureza?

A veces nos servirá pensar en la propia madre, en las hijas, en los hijos, en Jesús, en María. Quizá nos ilusione soñar que llegará el momento en que seamos capaces de vernos a nosotros mismos y a los demás como fuentes de castidad y pureza, como manantiales donde apreciar lo más bello y lo más noble. De cada cuerpo veremos brotar la gracia de Dios, reflejada en miradas y rostros, expresiones del alma.

Una recta comprensión de la sexualidad humana no busca destruir los valores del cuerpo y del sexo, sino integrarlos en la verdad profunda de la persona. "Sed hombres y mujeres –decía Marañón a los jóvenes–, y entonces, las mujeres y los hombres que andan por el mundo no serán para vosotros más que fuentes de castidad".

San Alfonso María de Ligorio asocia a María la imagen de la mirra. La mirra, uno de los presentes ofrecidos por los Magos a Jesús, uno de los ingredientes para embalsamar su cuerpo. Esta resina en forma de lágrima, aromática, roja, semitransparente, frágil y brillante en su estructura tiene una cualidad muy apreciada: preserva los cuerpos de la corrupción. María es la mirra que preserva de la impureza:

"Con ser tan hermosa, María jamás fue tropiezo para nadie que se detenía a contemplarla; antes por el contrario, su belleza ahogaba en el corazón de los que la veían los movimientos desordenados y les inspiraba pensamientos de pureza, como lo atestigua san Ambrosio: 'Nadaba en tan grande piélago de gracia, que no sólo conservaba en sí la virginidad, sino que también comunicaba este don soberano a quienes la miraban" (Instr., V, 7). Y lo confirma santo Tomás por estas palabras: "La gracia santificante, a más de reprimir en María los movimientos desordenados, tenía también el poder de estorbar en los que veían su singular hermosura cualquier afición desordenada" (In Sent., 3, d. 3, q. 1, a.2, s.1)" (Las glorias de María, 2ª parte, discurso 4).

Como mirra escogida que exhala suave olor (Eccli., 24,15).

LECTURAS

ANTIAMOR

El ensayista chileno Joaquín García-Huidobro muestra, a través de una prosa ligera que apela al sentido común y al sentido del humor, los efectos de la píldora anticonceptiva, tanto en el ámbito conceptual como en el más profundamente doloroso del desamor matrimonial[1].

Cada década tiene sus símbolos y objetos característicos. No parece concebible pensar en la de los noventa sin recurrir a internet, los teléfonos móviles y la televisión por cable. O imaginar a los cincuenta sin Elvis. La década de los sesenta abunda en elementos representativos, pero ninguna enumeración podría excluir la píldora anticonceptiva. Si esos años fueron caracterizados por la rebelión y la ruptura, no cabe imaginar algo que rompa tan radicalmente con el pasado como ese invento farmacológico que se difundió particularmente por esos años. Por primera vez en la historia los hijos dejaron de ser vistos como un don (bueno o malo, según las circunstancias y las culturas) y pasaron a ser una de las cosas que dependían de la decisión de cada pareja. Este hecho hizo posible la llamada liberación sexual y fue particularmente

[1] *Una locura bastante razonable,* Porrúa, México 2007, pp. 133-142.

bienvenido en el contexto de los temores por la explosión demográfica. Precisamente una década que había hecho progresos en el campo de la alimentación que poco tiempo antes habrían sido impensables, la época que multiplicó al infinito las cosechas con la revolución verde y que abrió el mundo del hombre hasta llevarlo a la Luna, esa misma época empezó a temer porque los hombres podrían llegar a crecer más que los alimentos y otros recursos capaces de sostenerlos.

La cuestión de la píldora, por otra parte, fue la desencadenante de la contestación en la Iglesia católica, una amplia revuelta que desafió la doctrina tradicional y exigió del papado una adaptación a los nuevos tiempos y costumbres. Pocos Papas en la historia han estado tan solos como Pablo VI en los años 67 y 68, cuando reflexionaba angustiado sobre qué debía hacer. Las propias confesiones protestantes, otrora tan rigoristas en materias morales, no tardaron en ceder y declarar que el recurso a los anticonceptivos era legítimo para los creyentes. Lo hicieron porque pensaban que no era necesario "recargar las conciencias" con más requisitos para la salvación. Cuando por fin habló, la protesta fue generalizada. Algunas Conferencias Episcopales fueron particularmente débiles y en muchos casos se limitaron a señalar el valor de la declaración papal, pero destacando que en último término se trataba de una decisión de conciencia, que cada uno debía adoptar según lo que le pareciera.

El problema de la píldora, con todo, no es una cuestión cualquiera. No afecta simplemente a un ámbito de la moralidad o del dogma, como pueden ser las heterodoxias doctrinales, los sobornos o el maltrato a los presos políticos. Ella se refiere al ámbito mismo de la competencia de la Iglesia. En otras palabras, a la pregunta de si el Magisterio puede pronunciarse de manera vinculante en materias morales. Es decir, si la Iglesia debe limitarse a predicar los artículos del Credo o si también tiene el deber de dar enseñanzas acerca de la vida buena. La aparición de la encíclica *Humanae Vitae* en el verano europeo del 68 mostró también la enorme dificultad de la Iglesia para hallar un lenguaje que fuera comprensible y dar argumentos capaces de convencer a hombres y mujeres que venían saliendo de la euforia de mayo del 68. La demora misma del Papa en hablar hizo que la recepción de su mensaje fuese cada vez más dificultosa. Es un hecho de experiencia que resulta difícil aceptar doctrinas cuando ellas implican un cambio en comportamientos que ya se han adquirido, particularmente cuando estas propuestas tienen un carácter exigente. Esto no es una crítica a Pablo VI, ya que se trataba de un problema muy delicado, que no permitía una respuesta pronta. Habría parecido tanto como si la Iglesia no se tomara en serio las necesidades y dificultades de los hombres. Hoy estos mismos temas se ven con más claridad, entre otras cosas porque la investigación médica ha hecho grandes avances en materia de métodos naturales de diagnóstico de la fertilidad. También porque la reflexión filosófica ha dado con nuevos argumentos y modos de explicar, sin perjuicio de que el propio paso del tiempo ha permitido medir las consecuencias prácticas de las posturas antinatalistas, contrastadas por la vida de aquellas personas que, a pesar de las dificultades, decidieron poner en práctica la *Humanae Vitae,* la más famosa de las encíclicas de la Iglesia católica, la única que ha ocupado los titulares de la prensa de todo el mundo occidental.

Es mucho lo que se juega en este debate. En primer lugar, la relación entre naturaleza y finalidad. Para el pensamiento moderno se hace muy difícil aceptar una naturaleza humana y mucho menos la existencia de ciertas facultades y disposiciones que son conformes a la naturaleza. La alusión a ciertas normas morales de carácter natural aparecía como teñida de biologismo, como la atribución ilícita de consecuencias morales a los meros hechos físicos: ¿por qué una mujer puede cortarse y teñirse el pelo, o hacerse cirugía estética, y no se le permite esterilizarse o interrumpir transitoriamente su fertilidad? Además, el rechazo a los métodos contraceptivos se fundó en la existencia de ciertas normas morales que no admiten excepciones, cuestión inaceptable para la mentalidad utilitarista, que había influido fuertemente a las teorías morales entonces vigentes. Por otra parte, el razonamiento mismo que se utiliza en moral estaba en cuestión, en la medida en que las nuevas concepciones no tenían reparos en aplicar a esas materias los modos de razonar propios de las técnicas. Por último, también estaba en discusión la índole misma de la conciencia, ese sagrario más íntimo de la dignidad humana. ¿Tiene ella un carácter constitutivo de las obligaciones morales o es un simple mecanismo aplicador de normas que se imponen desde afuera? Como se ve, no era poco lo que estaba en juego. No es de extrañar, entonces, que una parte significativa de la reflexión moral en medios católicos a partir de esos años haya empezado a proceder como si el Magisterio no existiera, o a referirse a él sólo para manifestar su disenso.

¿Dónde están los reparos a la píldora? Muchos lo plantearon como si la razón de oponerse a esos nuevos métodos no fuese otra cosa que la artificialidad de los mismos. Pero eso aparecía como difícilmente justificable, ya que el mundo humano está transido de lo artificial, desde la silla en que se sentó hasta el lápiz que utilizó el Papa para escribir su famosa encíclica. La razón de la oposición tiene mucho más que ver con la estructura misma del acto conyugal y las dimensiones que éste envuelve en su relación con la entera persona humana. En todo caso, es un tema que exige cierta finura antropológica, difícil de conseguir en los debates de la prensa.

La tesis fundamental del documento estaba en la afirmación de una vinculación profunda entre el aspecto unitivo y el aspecto procreativo del acto conyugal. Como el acto conyugal es un acto de y para personas, toda la persona queda involucrada cuando se realiza. En el caso de la píldora, hay una voluntaria ruptura de ambos aspectos: hay unión, pero se excluye la procreación de manera directa y deliberada. La entrega de varón y mujer ya no puede ser plena, de toda la persona: el marido le dice a la mujer: "te recibo, pero excluyendo de ti la fecundidad". La píldora introduce, inadvertidamente, un distanciamiento, una desconfianza, puesto que una dimensión muy importante de la otra persona, su fertilidad, es vista como un peligro. En este sentido, parece muy discutible presentar la píldora en el contexto de la emancipación. La píldora no emancipa. No al menos a la mujer. Más bien resulta un fuerte incentivo para instaurar en el matrimonio relaciones de posesión más que de entrega recíproca.

Tiempo atrás oí a una persona con una amplia experiencia clínica referir lo que había podido constatar en su consulta.

Decía que era frecuente el caso de matrimonios que señalan que, en los primeros años de vida común, el uso de anticonceptivos no les acarreaba mayor problema. Sin embargo, con los años, podían apreciar un distanciamiento: como si la falta de unión plena en el terreno sexual les impidiera una plena unión en el plano espiritual. Ese distanciamiento se aprecia en la dificultad para ponerse de acuerdo en cosas pequeñas y sin importancia, pero que van minando la relación. Por el contrario, cuando ha habido un acuerdo para planificar el proyecto familiar y hacerse cargo en conjunto de la sexualidad, se da origen a una unión muy profunda, que constituye una base propicia para que de ahí broten todos los otros acuerdos. Esta era una observación meramente experimental, pero que merecería un estudio más detallado.

En la lógica anticonceptiva hay dos actos diferentes. Uno es aquel por el que los cónyuges se unen. Otro, distinto, es el acto anticonceptivo. Este acto no tiene otra finalidad que excluir directamente la nueva vida. Es un acto vacío de contenido. Hace muchos años Juan Pablo II habló en una catequesis acerca de que también el marido podía adulterar con su mujer, en la medida en que la mirara sólo como un objeto de posesión y se involucrara en una actividad sexual de tal índole que impidiera el crecimiento personal de la mujer. Los medios de prensa rasgaron vestiduras ante este conservadurismo papal, sin darse cuenta de que se trata de una vigorosa defensa de la dignidad femenina y de una exclusión de las formas cotidianas de machismo.

En los métodos naturales de regulación de la fertilidad, el varón, y no sólo la mujer, está obligado a conocer la sexualidad femenina, observar su estructura, sus ritmos y características, y ajustarse a sus dictados. Cuando el hombre y la mujer se unen en un período infértil, no se están saltando ni están rompiendo el vínculo entre unión y procreación. Ellos permanecen potencialmente abiertos a una nueva vida, y la que rehúsa es la biología. Es como el silencio en la música, que permite que ella exista de manera más plena, y nada tiene que ver con la interrupción de una pieza en cualquier momento de su desarrollo. Es lo mismo que cuando se unen personas que padecen esterilidad: esa unión es legítima porque ellos no pusieron la esterilidad.

Por otra parte, el prestar atención a la fertilidad femenina no es sólo una carga para los matrimonios. Más bien constituye un cierto antídoto contra la rutina. El atender a los momentos propicios da a la vida conyugal un carácter lúdico que puede repercutir muy positivamente en la vida de ese matrimonio. Además, no hace falta tener una gran imaginación para darse cuenta de que cuando marido y mujer han sabido mantener una libertad respecto del hedonismo (que tiene que ver con la vieja distinción aristotélica entre hacer las cosas "con placer" o "por placer") se están preparando mucho mejor para el futuro, cuando el tiempo ponga su sello en sus caras, en el color de su pelo, en su piel y en su sexualidad.

Obviamente también cabe utilizar los llamados métodos naturales con una mentalidad anticonceptiva, pero esto sólo sucede porque la intención está torcida, no porque en el objeto mismo del acto exista algo repudiable. Que es lícito unirse conyugalmente en los períodos infértiles, lo muestra el hecho de que no todo acto conyugal da origen automáticamente a una nueva vida. El hecho de que, desde el punto de vista biológico, el acto conyugal humano sea mucho menos eficiente que el de los animales, no muestra una falla de la naturaleza, sino algo muy hermoso, a saber, que en la propia estructura de este acto está esbozada la idea de que en el ser humano la dimensión unitiva tiene un sentido por sí mismo y una gran nobleza, siempre que no vaya acompañada de un acto directamente destructivo, como es la anticoncepción. Dicho con otras palabras, como el acto conyugal no tiene por fin sólo la procreación, es lícito e incluso muy bueno realizarlo en una época en la que se sabe que la mujer no es fértil. El acto no queda frustrado, puesto que expresa la unión que se da entre los cónyuges y es una forma de manifestar, también físicamente, el cariño. Distinto es el caso en donde se realiza un acto (como el uso de la píldora o un dispositivo intrauterino) cuyo único fin es impedir que venga una nueva vida. Aquí lo malo no es el acto conyugal, que sigue siendo bueno, sino ese otro acto que tiene un directo carácter anti-vida. Además, no deja de ser significativo que la píldora sea el único fármaco que la mujer consume para "enfermar" una parte de su cuerpo.

En cierta medida con las prácticas anticonceptivas que acompañan el acto sexual pasa como en los banquetes de los romanos: comer en compañía de los amigos es algo bueno, pero el acto de vomitar voluntariamente lo que se ha comido, y no porque haya caído mal, sino únicamente para seguir comiendo, sin ninguna relación con el alimento sino por puro placer, eso es un acto contrario a la razón.

La doctrina acerca de los métodos naturales supone en sus oyentes algo elemental: la convicción de que las pasiones humanas pueden someterse a la razón. Es decir, que la racionalidad humana tiene una función de guía y no de mero instrumento para proporcionar los medios que lleven a la satisfacción más directa e inmediata de la sensualidad. O sea, que este camino implica la práctica de la virtud. Aquí está su profunda ventaja antropológica. Quien los pone en práctica está haciendo que su vida y cada uno de sus actos se permee por la racionalidad. Alguno podrá decir que esto es muy difícil, pero no podrá negar que es infinitamente superior y que permite plantear la vida conyugal sobre una base más sólida, una base capaz de resistir el paso del tiempo y de mantener su vigencia cuando pasen los años y la belleza y atractivos corporales no sean los mismos que al principio. El recurso a los ritmos naturales exige al marido un conocimiento de su mujer. Le pide no hacer en cada momento lo que quiere, sino ejercer el autocontrol.

El varón que se preocupa de conocer a su mujer, también en lo que a la biología se refiere, necesariamente va a crecer en el respeto por la persona de su esposa. Además, la atención a sus ritmos lo llevará a empeñarse por mostrar su cariño de otras formas, de una manera no sexual, lo que a su vez tiene gran importancia para la mujer. Ella valora especialmente esas manifestaciones de su marido, que además cumplen el papel de preparar el terreno para cuando pasen los años y cambie la forma de su sexualidad. Todo esto repercute inevitablemente en el resto de la familia, en el aire de respeto y servicio que se respira en casa.

Algunos piensan que este modo de vida es patrimonio de personas de gran educación. Una vez hice esta misma pregunta a un médico que llevaba más de treinta años dedicado al tema, gran parte de ese tiempo en los lugares más populares y de menor instrucción de todo Santiago. Me explicó que en los estratos más cultos era más fácil que un matrimonio comenzara a poner en práctica este modo de vida conyugal, pero que al mismo tiempo era más fácil que no perseverara. En los sectores con menos cultura, en cambio, el comienzo era un poco más difícil, no por la enseñanza, que es muy sencilla, sino por la decisión de empezar a vivir de ese modo, pero que -una vez comenzados- la perseverancia era muy superior. ¿Pero qué pasa con los maridos?, le pregunté. Ellos son los más interesados, me explicó. Cuando empiezan a vivir la continencia periódica, descubren que el carácter de la mujer cambia, se vuelve más estable y afectuosa. Es la consecuencia necesaria de sentirse respetada. Es tan notoria la diferencia, que los maridos se vuelven los mayores partidarios de este cambio, no obstante el esfuerzo que les demanda. Es comprensible: a primera vista, la píldora tiene la ventaja de poner la sexualidad al alcance de todos. En los hechos termina por devaluarla.

Una vez, un buen amigo, partidario de la licitud de la contracepción, me señaló que él, en su matrimonio, no recurría a esos métodos porque a su mujer le resultaban insoportables. A él, sin embargo, no le parecían mal. Si alguien conociera a esa mujer encantadora, fina, sensible y solidaria, se daría cuenta de que su actitud es el mejor argumento en contra de la píldora. ¡No puede ser casual que precisamente a una mujer así le resulte insoportable la píldora: una de las mujeres más delicadas que conozco no puede aceptar unirse con su marido de esa manera!

Sin embargo, hoy son pocos los que se toman la molestia de estudiar a fondo las razones de la Iglesia. Ése fue, con todo, el caso de Kimberly Hahn, una protestante, estudiante de teología que, por llegar tarde a un curso, tuvo que contentarse con tomar el tema que estaba vacante: el del rechazo de la Iglesia católica a la anticoncepción. Hoy, para gran parte del mundo protestante, esa cuestión no envuelve problema alguno. Se da por sentado que son lícitos. Sin embargo, en la medida en que esta mujer fue estudiando la *Humanae Vitae,* empezó a descubrir, primero, que había sólidas razones que la apoyaban, cosa que nunca se le había ocurrido, y luego que esa postura correspondía a la verdad. Ése fue el comienzo de una hermosa historia, que ella y su marido cuentan en el libro *Rome, Sweet Home.*

El caso de Hahn no es una excepción. Son numerosas las personas que han estudiado el tema con calma y han llegado a conclusiones semejantes. Sin embargo, junto a ellas, también son muchas las buenas personas que utilizan los anticonceptivos en su vida matrimonial, sin saber en verdad lo que están haciendo. ¿Por qué no lo saben? Porque nadie se los ha enseñado. Han oído sólo retazos sueltos de esta doctrina, que la presentan como una imposición arbitraria y absurda. Para ellos, los llamados métodos naturales no son más que una especie de anticonceptivo ecológico y nunca han oído hablar de las diferencias antropológicas que están en juego en esta cuestión.

La postura de la Iglesia no significa transformar el matrimonio automáticamente en una fábrica de hijos. Ella se basa en la noción de paternidad responsable, que exige que los cónyuges determinen cara a Dios el número de hijos que corresponde recibir en cada caso. Una decisión que debe buscar la voluntad divina y no sólo el capricho o la comodidad. Nadie puede sustituirlos en esta decisión, aunque la Iglesia traicionaría su misión si no les advirtiera que no cualquier medio es lícito para regular la fecundidad. Esta paternidad responsable puede exigir o recomendar en ciertos casos limitar o espaciar el número de nacimientos. Pero también puede perfectamente implicar la acogida a una familia numerosa, una posibilidad muy válida, aunque no sea la única legítima. No hay que olvidar que en las Escrituras la familia numerosa es considerada una gran bendición. En cambio, en una sociedad hedonista, la familia numerosa parece ser una especie en extinción. Es sistemáticamente perseguida por las leyes y los órganos tributarios. Sufre la incomprensión de no pocos que deberían apoyarla. Pero al mismo tiempo se constituye en una escuela de esperanza, de desprendimiento y solidaridad. Y muestra desde muy pronto cómo unos niños ayudan a la educación de los otros y todos se benefician de ese proceso. Ese modelo de familia permite que los niños se vayan introduciendo lenta pero seguramente en la noción de responsabilidad y en el peso de la vida.

El uso de la píldora se revela como un cierto acto paradójico, cuando se tiene en cuenta la situación de tantos matrimonios que no pueden tener hijos. Es duro ver casos de quienes pudiendo no quieren y otros que, queriendo, no pueden. Es, en cierta medida, como el rico que malgasta su dinero mientras otros carecen de los bienes más elementales.

La fortaleza de Pablo VI y el Magisterio católico para proclamar esa doctrina en momentos particularmente difíciles ha sido una señal de coherencia que muchos no católicos han reconocido hidalgamente. Al mismo tiempo, ella se mostró como profética. En efecto, la idea de que en el acto conyugal debían ir vinculados el aspecto unitivo y el procreativo se reveló como la clave para resolver, muchos años más adelante, el difícil problema de la fecundación extracorporal. Así como no es lícito separar directamente el acto conyugal de su significado procreativo, tampoco es legítimo buscar una procreación sin unión conyugal, en donde el amor de los esposos sea reemplazado por la actividad del médico en una probeta.

Hoy se ven las cosas con mucha más claridad que en el año 1968. Se ha profundizado en la ética conyugal, se ha mostrado que la mentalidad contraceptiva es hija de un modo de pensar que reduce la ética a la técnica, y se dan nuevas razones que permiten entender con más claridad lo que entonces aparecía sólo como una intuición valiente. Pero también está una realidad mucho más fuerte: la de miles de niños que hoy existen, que han ido a la escuela, crecido y formado una familia. Son los hijos de la *Humanae Vitae,* cuya presencia nos aporta una alegría que matiza un poco el dolor de pensar en esos otros niños, los que nunca existieron.

LA ARMONÍA EN LAS RELACIONES CONYUGALES

Antes de su elección al Pontificado, Juan Pablo II escribió el libro "Amor y responsabilidad". Con exquisito cuidado en el análisis y el debido rigor reflexivo, Karol Wojtyla ofrece en él una visión integradora del amor, el matrimonio, la procreación y la familia. La psicología, la metafísica y la moral aportan sucesivamente su contribución. Presentamos a continuación unas páginas del mismo, en el que las descripciones más finas alternan con una vigorosa dialéctica. Palabras luminosas para todo aquel que busque una verdadera educación de la sexualidad desde el amor[2].

De la misma naturaleza del acto sexual resulta que el hombre desempeña en él un papel activo, mientras que la mujer juega un papel pasivo: ella acepta y experimenta. Su pasividad y su falta de repulsa bastan para la realización del acto sexual, que puede darse sin ninguna participación de su voluntad e incluso encontrándose ella en un estado de completa inconsciencia, por ejemplo durante el sueño, en un momento de desvanecimiento, etc. Vistas desde este punto las relaciones sexuales dependen de la decisión del hombre. Pero como esta decisión es provocada por la excitación sexual que puede no corresponderse con un estado análogo en la mujer, surge aquí un problema de naturaleza práctica que tiene una gran

[2] KAROL WOJTYLA, *Amor y responsabilidad*, Editorial Razón y fe, Madrid 1969, pp. 315-321.

importancia, tanto desde el punto de vista médico como moral. La moral sexual conyugal ha de examinar cuidadosamente ciertos hechos bien conocidos en la sexología médica. Hemos definido el amor como una tendencia hacia el verdadero bien de otra persona, por lo tanto como una antítesis del egoísmo. Y ya que en el matrimonio el hombre y la mujer se unen igualmente en el dominio de las relaciones sexuales, es menester que busquen también en este terreno ese bien.

Desde el punto de vista del amor de la persona y del altruismo, se ha de exigir que en el acto sexual el hombre no sea el único que llega al punto culminante de la excitación sexual, que éste se produzca con la participación de la mujer y no a sus expensas.

Los sexólogos constatan que la curva de excitación de la mujer es diferente de la del hombre: sube y baja más lentamente. Anatómicamente hablando, la excitación en la mujer se produce de una manera análoga a la del hombre (el centro se halla en la médula S2-S3), con todo, su organismo está dotado de muchas zonas erógenas [3], lo cual es una especie de compensación del hecho de que su excitación crezca más lentamente. El hombre ha de tener en cuenta esta diferencia de reacciones, y esto no por razones hedonistas, sino altruistas. Existe en este terreno un ritmo dictado por la naturaleza que los cónyuges han de encontrar para llegar al mismo momento al punto culminante de excitación sexual. La felicidad subjetiva que experimentarán entonces tendrá los rasgos de *frui*, es decir, de la alegría que da la concordancia de la acción con

[3] Erógeno significa "que produce excitación sexual o es sensible a ella".

el orden objetivo de la naturaleza. El egoísmo, por el contrario –en el caso se trataría más bien del egoísmo del hombre–, es inseparable de *uti,* de esa utilización en la que una persona busca su propio placer en detrimento de la otra. Está con esto bien claro que las recomendaciones de la sexología no pueden ser aplicadas prescindiendo de la moral.

No aplicarlas en las relaciones conyugales es contrario al bien del cónyuge, así como a la estabilidad y a la unidad del mismo matrimonio. Hay que tener en cuenta el hecho de que, en estas relaciones, la mujer experimenta una dificultad natural para adaptarse al hombre, debida a la divergencia de su ritmo físico y psíquico. Una armonización es, por consiguiente, necesaria, que no puede darse sin esfuerzo de la voluntad, sobre todo de parte del hombre, ni sin que la mujer se atenga a su pleno cumplimiento. Cuando la mujer no encuentra en las relaciones sexuales la satisfacción natural ligada al punto culminante de la excitación sexual *(orgasmus),* es de temer que no sienta plenamente el acto conyugal, que no embarque en él su personalidad entera (según algunos, ésta es frecuentemente la causa de la prostitución), lo cual la hace particularmente expuesta a las neurosis y trae consigo una frigidez sexual, es decir, una incapacidad de sentir la excitación, sobre todo en su fase culminante. Esta frigidez *(frigiditas)* resulta a veces de un complejo o de una falta de entrega total de la que ella misma es responsable. Pero, a veces, es la consecuencia del egoísmo del hombre que, al no buscar más que su propia satisfacción, muchas veces de una manera brutal, no sabe o no quiere comprender los deseos subjetivos de la mujer, ni las leyes objetivas del proceso sexual que en ella se desarrolla.

La mujer empieza entonces a rehuir las relaciones sexuales y siente una repugnancia que es tanto o quizá más difícil de dominar que la tendencia sexual.

La mujer difícilmente perdona al hombre la falta de satisfacción en las relaciones conyugales, que le son penosas de aceptar y que, con los años, puede originar un complejo muy grave. Todo lo cual conduce a la degradación del matrimonio. Para evitarla, es indispensable una «educación sexual», pero una educación que no se limitase a la explicación del fenómeno del sexo. En efecto, no se ha de olvidar que la repugnancia física en el matrimonio no es un fenómeno primitivo, sino una reacción secundaria: en la mujer, es una respuesta al egoísmo y a la brutalidad, en el hombre, a la frigidez y a la indiferencia. Ahora bien, la frigidez y la indiferencia de la mujer es muchas veces una consecuencia de las faltas cometidas por el hombre que deja a la mujer insatisfecha, lo que, por lo demás, contraría el orgullo masculino.

Es necesaria una educación sexual cuyo objetivo esencial habría de ser inculcar a los esposos la convicción de que: el «otro» es más importante que yo. Semejante convicción no nacerá de repente por sí misma, sobre la mera base de relaciones físicas. No puede resultar sino de una profunda educación del amor. Las relaciones sexuales no enseñan el amor, pero si éste es verdadera virtud, lo será también en las relaciones sexuales (conyugales).

A esto puede reducirse la «calidad de las relaciones conyugales». La «calidad» y no la «técnica». Los sexólogos (Van de

Velde) dan muchas veces una gran importancia a la técnica; y, con todo, ha de tenerse más bien como secundaria, y a veces incluso puede ser un estorbo... Es precisamente la facultad de comprender los estados del alma y las experiencias de la persona lo que puede desempeñar un gran papel en los esfuerzos por armonizar las relaciones conyugales. Esta facultad tiene su raíz en la afectividad, la cual, dirigida sobre todo hacia el ser humano, puede dulcificar y neutralizar las reacciones brutales de la sexualidad, orientada únicamente hacia el cuerpo, y los deseos incontrolables de la concupiscencia del cuerpo. Puesto que el organismo de la mujer posee esta particularidad de que su curva de excitación sexual es más larga y sube más lentamente, la necesidad de ternura en el acto físico, lo mismo antes que después, tiene en la mujer una justificación biológica. Si se tiene en cuenta el hecho de que la curva de excitación en el hombre es más corta y sube más bruscamente, se ve uno llevado a afirmar que un acto de ternura de su parte en las relaciones conyugales adquiere la importancia de un acto de virtud. El matrimonio no puede reducirse a las relaciones físicas, necesita un clima afectivo que es indispensable para la realización de la virtud, del amor y de la castidad.

No se trata aquí de sensiblería ni de un amor superficial, los cuales ambos a una, no tienen nada común con la virtud. El amor ha de ayudar a comprender y a sentir al hombre, porque éste es el camino de su educación y, en la vida conyugal, de la mutua educación. El hombre ha de tener en cuenta el hecho de que la mujer es un «mundo aparte», no solamente en el sentido fisiológico, sino en el psicológico; y puesto que en las relaciones conyugales es a él a quien incumbe el papel activo, ha de conocer y, en la medida de lo posible, penetrar ese mundo. Esta es la función de la ternura. Sin ella, el hombre no tenderá más que a someter la mujer a las exigencias de su cuerpo y de su psiquismo propio. Es verdad que la mujer asimismo ha de procurar comprender al hombre y educarlo de manera que él se preocupe de ella: ambos a dos son igualmente importantes. Las negligencias en la educación y la falta de comprensión pueden ser en la misma proporción una consecuencia del egoísmo.

EL PROBLEMA DE LA HOMOSEXUALIDAD

José Miguel Ibáñez Langlois -sacerdote chileno que desarrolla su labor pastoral en los medios universitarios de Santiago- ofrece aquí no sólo un enfoque recto para comprender la homosexualidad, sino también la alternativa positiva para su superación. Es autor de unos mil quinientos artículos de crítica, doce libros de poesía y veinte de ensayo [4].

La homosexualidad designa ya la atracción sexual, ya las relaciones sexuales con personas del mismo sexo. Estas últimas -las acciones- están sujetas a responsabilidad moral; no así aquella tendencia, que es una condición básicamente no elegida, y cuyo origen psíquico no conocemos bien. En lo sucesivo nos refe-

[4] JOSÉ MIGUEL IBÁÑEZ LANGLOIS, *Sexualidad Amor Santa Pureza*, Rialp, Madrid 2007, pp. 107-111.

riremos sobre todo a los actos homosexuales. Estos son reprobados en la Sagrada Escritura, desde el Génesis (castigo divino a los habitantes de Sodoma, de donde proviene el término «sodomitas», 19,1-11) y el Levítico (18,22 y 20,13), hasta las Cartas de San Pablo («pasiones deshonrosas», «extravíos», Rom 1,26-27, y también I Cor 6,9 y I Tim 1,10). Factores morales favorables a su difusión actual han sido la crisis sufrida por el matrimonio y la familia, la mentalidad anti vida y el movimiento de liberación sexual, que por los años 1960 comenzó a hacer del sexo un bien de consumo y un mero instrumento de placer [5].

La Iglesia experimenta una comprensión y un respeto grandes por las personas que sufren la dura prueba de una tendencia sexual alterada [6]. Sin embargo, debe afirmar que «los actos homosexuales son intrínsecamente desordenados y no pueden recibir aprobación en ningún caso"[7], y ello porque "son contrarios a la ley natural. Cierran el acto sexual al don de la vida. No proceden de una verdadera complementariedad afectiva y sexual"[8], y por eso mismo constituyen una relación permanentemente frustrada y frustrante. Dado lo profundo, radical y envolvente de la sexualidad humana, y dadas las consecuencias que proyecta sobre el destino de una persona, su dirección invertida no puede equipararse a un mero rasgo de la «diversidad» individual -como algunos quieren-, análogo al hecho moralmente neutro de ser zurdo, diestro o ambidiestro, gordo o flaco, etc. Los expertos buscarán el nombre preciso de esta alteración; digamos,

[5] Cfr. *Catecismo*, 2358.
[6] *Declaración Persona humana*, n. 8.
[7] *Catecismo*, 2357.
[8] *Ibidem*, 2358.

en general, que es una anomalía o trastorno grave, y que los actos que lo expresan -más allá de su imputabilidad personal, que sólo Dios conoce- son objetivamente incapaces de la complementaria donación de sí mismos que es propia del amor de hombre y mujer. De ahí que suelan transitar entre la utopía y la frustración, y estar desmesuradamente centrados en el sexo mismo; que fácilmente sean relaciones de dominación, y que su tasa de infidelidad y promiscuidad sea muy alta.

Toda expresión de mofa, desprecio o malevolencia hacia quienes padecen esta condición –no elegida, sino sufrida- es una falta contra la caridad e incluso contra la justicia. También lo es «todo signo de injusta discriminación»[9]. Los dos ejemplos más actuales de una diferencia justa son el matrimonio y el sacerdocio. Con respecto al primero: «No puede constituir una verdadera familia el vínculo de dos hombres o dos mujeres, y mucho menos se puede atribuir a esa unión el derecho a adoptar niños»[10], porque tal cosa sería hacer violencia al concepto y a la naturaleza misma del matrimonio, de la filiación y de las personas. Con respecto a lo segundo, «la Iglesia, respetando profundamente a las personas en cuestión, no puede admitir al Seminario y a las Órdenes Sagradas a quienes practican la homosexualidad, presentan tendencias homosexuales profundamente arraigadas o sostienen la así llamada cultura gay»[11], ya que el sacerdocio ministerial no es un derecho de nadie sino una llamada personal

[9] *Ibídem.*
[10] *Carta Homosexualitas problema,* n. 9, Congregación para la doctrina de la Fe.
[11] JUAN PABLO II, *Ángelus,* 20-II-1994.

de Dios y de la Iglesia, que exige condiciones psicológicas y morales ligadas a la madurez afectiva y a la castidad sacerdotal. Tampoco puede considerarse injusto, por último, el límite con que la sociedad restringe las actividades de propaganda o de fomento de la conducta homosexual, por razones obvias de bien común.

¿Qué ofrece la Iglesia a las personas de tendencia homosexual? Desde luego su cálida acogida, su comprensión, sus sacramentos –en las condiciones debidas–, su guía espiritual y su atención pastoral. Pero al mismo tiempo les recuerda que «están llamadas a la castidad»[12], lo que significa «unir al sacrificio de la cruz del Señor las dificultades»[13] de su camino, ya que «mediante el apoyo de una amistad desinteresada, de la oración y la gracia sacramental, pueden y deben acercarse gradual y resueltamente a la perfección cristiana»[14]. Esta ayuda sobrenatural no excluye el consejo de la ayuda médica o psicológica, más eficaz de lo que suele pensarse cuando se tiene la cooperación de la persona afectada. Es duro pero posible: así lo muestran no pocos ejemplos hermosos de humildad, perseverancia y pureza heroica, como -por citar el caso de una persona fallecida- el del novelista francés Julien Green, detallado en su monumental *Diario*.

[12] *Catecismo*, 2359.
[13] *Ibídem*, 2358.
[14] *Ibídem*, 2359.

UN INGREDIENTE NUEVO EN LOS BROWNIES [1]

Dos adolescentes le pidieron permiso a su papá para ir a ver una película que ya todos sus amigos habían visto. Él leyó algunas opiniones en internet y dijo que no. Ellos insistieron: "¿Por qué no? Está clasificada en B y los dos tenemos más de doce".

–"Esa película tiene escenas inmorales presentadas como si se tratara de un comportamiento aceptable y normal" –replicó el padre.

–"¡Papá!, pero son partes muy cortas de la película; nos lo dijeron todos los que ya la vieron. Dura dos horas y esas escenas apenas se llevan unos minutos" –dijo la hija. "Está basada en una historia real y trata de otros temas importantes como el valor y el sacrificio".

–"Mi respuesta es NO y ésa es mi decisión final" –dijo el padre terminantemente. "Están invitados a quedarse en casa esta noche. Pueden invitar amigos y ver algún buen video, pero no pueden ir a ver esa película. Fin de la discusión".

Los dos adolescentes se dejaron caer pesadamente en un sillón, sorprendidos por el ruido que su papá producía al preparar algo en la cocina.

[1] Revista MIRA, n. 57, agosto 2008, p. 25.

Pronto reconocieron el delicioso aroma de los brownies en el horno y el hijo le dijo a su hermana: "Papá debe estar sintiéndose culpable y seguramente quiere contentarnos con los brownies. Tal vez podamos suavizarlo diciéndole que sus brownies están riquísimos y así lo convenceremos para que nos deje ver la película".

Ellos no se equivocaron: pronto su papá apareció con una bandeja llena de brownies recién hechos. Cada uno tomó uno, pero su padre los detuvo: "Antes de que los prueben, debo decirles que los quiero mucho".

Los adolescentes sonrieron con perspicacia al percibir que su papá se estaba suavizando.

–"Por eso hice estos brownies con los mejores ingredientes, la mayoría son orgánicos" –dijo el papá, mientras a sus hijos impacientes se les hacía «agua la boca»".

–"Pero quiero ser totalmente honesto, agregué un ingrediente que normalmente no se pone a los brownies, un ingrediente de nuestro propio jardín, pero no se preocupen porque fue tan sólo una ínfima cantidad, es prácticamente insignificante, así que pruébenlos ya y díganme qué les parecen".

Un poco consternados, le dijeron: "Papi, ¿podrías decirnos de qué ingrediente se trata antes de probarlos?"

–"¿Por qué? Apenas fue una cucharadita, ni siquiera lo van a notar" –respondió aquel.

–"¡No manches papá, ya dinos qué ingrediente es!"

–"No se preocupen, es orgánico como los otros ingredientes".

–"¡Papá!"

–"Bueno, está bien, si insisten... el ingrediente orgánico y fresco es caca de Firulais".

Los dos adolescentes dejaron caer su brownie en el plato e inspeccionaron sus dedos con horror.

–"Papá, ¿por qué hiciste eso? ¡Nos estuviste torturando con el antojo de los brownies durante la última media hora y ahora nos dices que tienen caca del perro! No podemos comerlos".

–"¿Por qué no? La cantidad es muy pequeña en comparación con el resto de los ingredientes y no les va a saber, ni siquiera cambió la consistencia. ¡Anímense, pruébenlos!"

–"No papá, ¡nunca!"

–"Por esa misma razón no les doy permiso de ver esa película. Si no pueden tolerar una pizca de cochinada en los brownies, ¿por qué tendrían que tolerar un poco de inmoralidad en la película?"

Se terminó de imprimir en los
Talleres de Impresora Peña Santa
Calle sur 27-457 Mza.44, Col. Leyes de Reforma.

El día 15 de mayo de 2009.

Se tiraron 1000 ejemplares más sobrantes.